JN320343

Copenhagen Apartments

Sara Narin & Peter Toftsø

introduction

はじめておとずれたコペンハーゲンの印象は、
のんびりしていて、太陽の光がいっぱい、
そして人々がやさしく、おだやかな街。
まるで「いつでもヴァカンス中」というような
ゆったりした街の表情にひかれて
私たちは、コペンハーゲンで活躍する
アーティストたちの住まいをたずねました。

にぎやかに家族が集まる、庭付きの一軒家
恋人たちが暮らしている、アパルトマン
そして、女の子アーティストの小さな部屋……。
アーティストたちにあたたかく迎え入れられた
私たちは、透明感のある日ざしに包まれた
すがすがしい空間と出会うことができました。
街にあふれていた、ヴァカンスのような心地よさは
毎日を気持ちよく、楽しく暮らす
部屋づくりからはじまっているようです。

「こんにちは！ここだよー」と
窓から手を振ってくれる女の子に、手を振りかえして
コペンハーゲンのアパルトマンをたずねてみましょう。

ジュウ・ドゥ・ポゥム

contents

Karen Kjældgaard-Larsen & Mads Hagedorn-Olsen
カレン・キールゴー・ラーセン＆マッズ・ヘードン・オールセン
セラミックアーティスト＆写真家・・・・・・・・・・・・・・・ 6

Mia & Jan Risager
ミア＆ヤン・リサヤー　ファッションデザイナー＆ミュージシャン・・・・・・・ 14

Kirsten Fribert
キルステン・フリーベルト　テキスタイルデザイナー・・・・・・・・・・・ 22

Stine & Niels Holscher
スティン＆ニールス・ホルシャー　建築家・・・・・・・・・・・・・ 28

Nicole Kruckenberg & Jonas Breum
ニコル・クリュッケンベルク＆ヨーナス・ブロイム
セラミックアーティスト＆ミュージシャン・・・・・・・・・・・・・ 34

Ditte Rode & Thomas Ryborg
ディッテ・ローデ＆トーマス・リボール　建築家・・・・・・・・・・ 40

Sarah Müllertz
サラ・ミュラッツ　建築家・・・・・・・・・・・・・・・・・ 48

Malin Schmidt & Thomas Bentzen
マリン・シュミット＆トーマス・ベンツェン　ジャーナリスト＆家具デザイナー・・・・ 56

Julie Ellegaard
ユーリエ・エレゴー　グラフィックデザイナー・・・・・・・・・・・ 60

Nan Na Hvass
ナンナ・フヴァス　グラフィックデザイナー················64

Rikke Graeber & Anders Busk-Faaborg
リッケ・グレーボー&アンデス・ビュスク-ファボール
アートディレクター&インテリアデザイナー·············68

Maria Munkholm
マリア・ムンクホルム　映像セットデザイナー············76

Alikka Garder Petersen
アリカ・ガーダー・ピーターセン　セラミックアーティスト······82

Sara Narin & Peter Toftsø
サラ・ナリン&ピーター・トフトス　建築家··············86

Christina & Per L. Halstrøm
クリスティーナ&ペア・L・ヘルストロム　インテリアデザイナー&作家···92

Anne Nowak & Martin Daugaard
アンヌ・ノワック&マーティン・ダウゴー　テキスタイルデザイナー&シェフ···96

Maj Persdatter
マイ・ピーアスディッター　テキスタイルデザイナー········102

Sofie Hannibal & Morten Køie
ソフィー・ハンニバル&モーテン・コイエ　グラフィックデザイナー&ミュージシャン···108

Isabel Berglund & Kristian Devantier
イザベル・ベールン&クリスチャン・デヴァンティエ　ニットアーティスト&画家···112

Anne Black & Jesper Moseholm-Jørgensen
アンヌ・ブラック&イェスパ・モースホルム-ヤーンセン
セラミックアーティスト························118

カレン・キールゴー-ラーセン＆マッズ・ヘードン-オールセン
Karen Kjældgaard-Larsen & Mads Hagedorn-Olsen

ceramic artist & photographer　セラミックアーティスト＆写真家

すがすがしい草原のように、ポエティックな窓辺

さんさんと太陽の光が差しこむ、ダイニングの窓辺に
草原のように並べられた、小さな花器たち。
これはデザインユニット、クレイディーズとして
活躍する、カレンさんが手がけた作品。
野の花のような、素朴な花がよく似合います。
ご主人で、写真家のマッズさんと、
ヴィオラちゃんとイルサちゃん、4人で暮らす
アパルトマンに、リラックスした空気と
ポエティックな風景を生み出します。

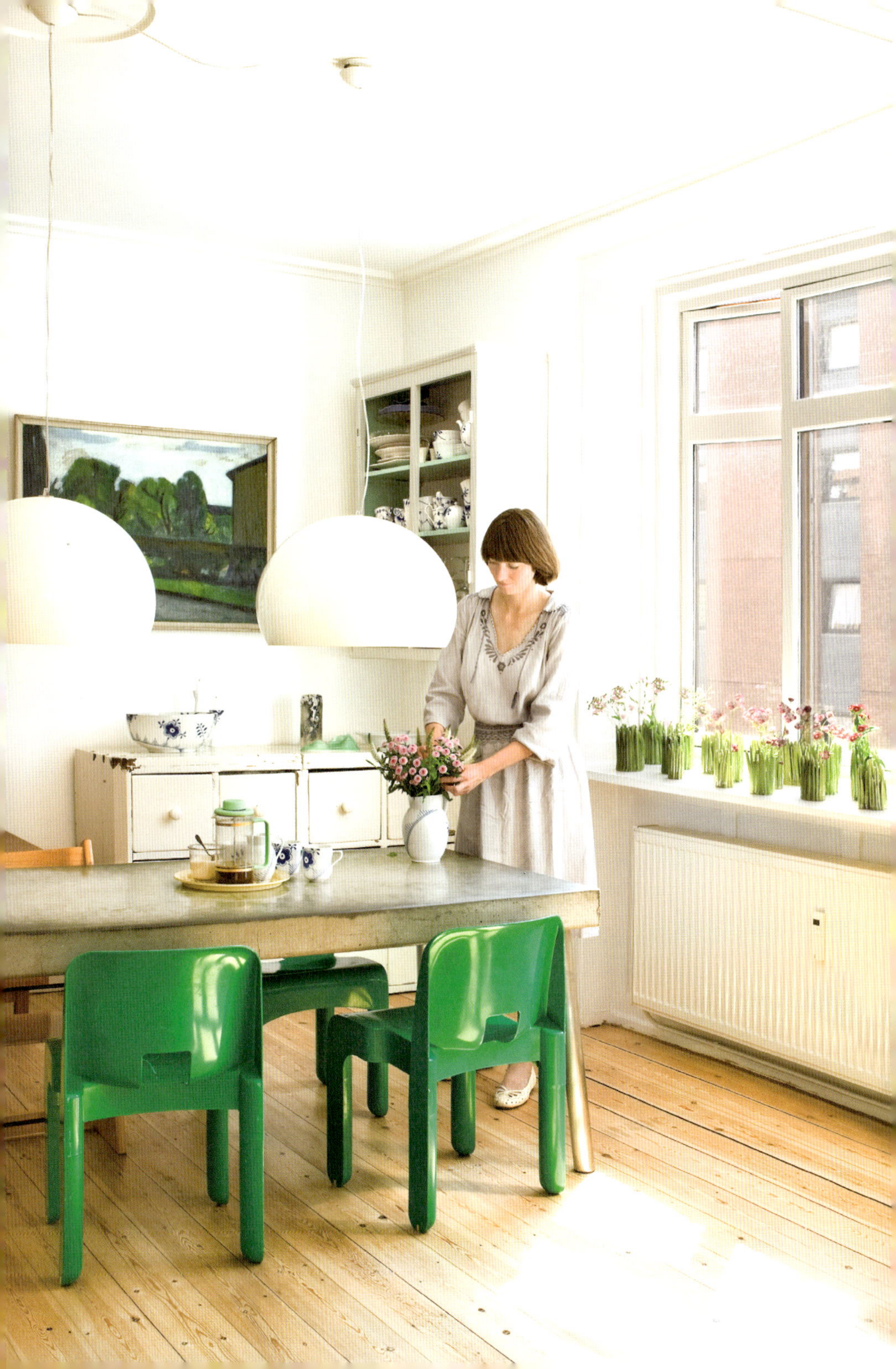

カレンさんとマッズさん一家が暮らすのは、ウスタブロ地区の子どものいる若いファミリーが多い地域で、ヴィオラちゃんが通う小学校も、イルサちゃんの保育園もアパルトマンのすぐそば。1920年代に建てられたアパルトマンは、日当りがよく、ゆったりとした間取りが居心地のいい空間です。リフォームはほとんどしなかったけれど、壁だけ自分たちで白くペイントしなおしました。カレンさんもマッズさんもご両親がアーティスト。このアパルトマンにも家族が手がけた絵画や陶器が、美しく飾られています。

左上：ダイニングのコーナーに作り付けられた棚には、美しく食器やグラスが並べられています。右上：「ロイヤル・コペンハーゲン」の「ブルー・フルーテッド・メガ」のモチーフは、カレンさんのデザイン。右下：クラシックなデザインのカップ＆ソーサー。

上:マッズさんのおじいさんはデンマークの著名な画家、トーヴェル・ヘードン・オールセン。おじいさんの初期の作品の風景画と、その隣には陶芸家だったカレンさんのお父さんの絵画を飾って。中:マッズさんは広告用写真を手がけるほか、ちょうちょを題材にした自分の作品も発表している写真家。
左下:クレイディーズの作品「グラス」。
中下&右下:「メガ」シリーズのキャンドルスタンドと水差し。

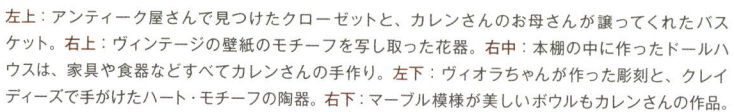

左上：アンティーク屋さんで見つけたクローゼットと、カレンさんのお母さんが譲ってくれたバスケット。右上：ヴィンテージの壁紙のモチーフを写し取った花器。右中：本棚の中に作ったドールハウスは、家具や食器などすべてカレンさんの手作り。左下：ヴィオラちゃんが作った彫刻と、クレイディーズで手がけたハート・モチーフの陶器。右下：マーブル模様が美しいボウルもカレンさんの作品。

工具用の箱を組み合わせて作った本棚。棚の中に飾った「ロイヤル コペンハーゲン」の水差しとふた付きのお皿は、おばあさんから3世代にわたって譲り受けた古いもの。

左上：ベッドルームの壁面には、陶芸家だったお父さんが、マッズさんの妹を描いたポートレートを飾って。**右上**：ヴィンテージのランプは、光の方向を自由に動かせるもの。**右中**：長めのフックを取り付けて、カレンさんの洋服かけに。**左下**：カレンさんが手作りした毛糸の花。**右下**：化粧品やアクセサリーなど細々したものを集めたコーナーのマットは、ヴィオラちゃんが作ってくれたもの。

左上：ヴィオラちゃんとイルサちゃんのドールハウス。人形の洋服や小物などは、カレンさんが手作りしています。右上：マッズさんが子どものころ、お母さんが作ってくれたぬいぐるみ。左中：キュートなりんご柄のカッティングボードは贈り物。左下：カレンさんが手がけたボウルにフルーツを盛って。右下：コンパクトながら整理整とんが行き届いた、使いやすそうなキッチン。

ミア＆ヤン・リサヤー
Mia & Jan Risager
fashion designer & musician　ファッションデザイナー＆ミュージシャン

あざやかな色を、グラフィカルに楽しんで

ポップで楽しい子ども服のデザイナー、ミアさんと
エレクトロ・ミュージックを作曲するヤンさん。
かわいいウィルマちゃんと、オーダちゃんと一緒に
4人はヴェスターブロ地区に暮らしています。
もともとモノトーンが好きだったというふたりは
子どもたちが生まれてから、インテリアに
ピンクやオレンジといった、色を加えるように。
あざやかな色が、ちりばめられた部屋には
モダンさと楽しい遊びごころが感じられます。

1
to
tre
fire
femte
sjette
syvende
YOU READ YOU READ
YOU READ YOU READ
YOU READ YOU READ

ミアさんとヤンさんが暮らすのは1895年に建てられた、れんが造りのアパルトマン。リビングとダイニングがひと続きになったメインルームの向かいには、廊下をはさんでキッチンとバスルーム、子ども部屋が並びます。ディスプレイされたオブジェはどれもカラフルですが、白と黒をベースにしたシンプルな空間の中におさまることで、ハーモニーが生まれます。友だち同士で家に招きあうのが楽しみというふたり。インテリアを見せたり、料理をふるまったりしながら、新しいインスピレーションを得ています。

左上：のみの市で見つけたヴィンテージのドレス。自分で着るよりも眺めていたくて、ずっとリビングのドアに飾っているそう。左下：陶器のネコたちは、アンティーク屋さんで。右上：あちこちののみの市で集めてきたガラスの花瓶。形も色もさまざまで有名なものはないけれど、一ヶ所に集めて飾ると、まるでアート作品のよう。右下：子どもたちの遊び場所になっている、芝生の中庭。

左上：お姉ちゃんのウィルマちゃんは4歳、オーダちゃんは2歳。ママの作った洋服を着て、ふたりともうれしそう。右上：手作りの貯金箱は、ウィルマちゃんからのクリスマスプレゼント。左中：靴箱で作った「コンピューター」。左下：ポップアップ絵本『600ブラック・スポッツ』のお気に入りのページを開いてディスプレイ。右下：メインルームの半分は、ダイニングとミアさんのホーム・オフィスに。

左上：靴用の棚はヤンさんが作ったもの。中庭で拾ってきた木の枝を、黒くペイントしてアクセントに。**右上**：廊下のピンナップボードには、セカンドハンドのサングラスを飾って。**右中**：ミアさんがデザインした、遊びごころいっぱいのパーカー。**左下**：スウェードやゴム、コーデュロイなど素材感のあるパンプスが並ぶ棚。**右下**：「H&M」で見つけた、ミニーマウスの耳つきカチューシャ。

左上：セカンドハンドのお皿に、デンマークの雑貨ブランド「ライス」のメラミン製カップをあわせて。右上：デザイナーが手がけた食器と古いものがミックスするキッチン棚。左下：ミアさんが黒くペイントしたキッチン。右中：ミアさんとルイーズさんが立ち上げたブランド「バンバン・コペンハーゲン」のカード。右下：キッチンでお手伝いをするのが大好きな子どもたちのために、エプロンはドアに。

左上:ウィルマちゃんとオーダちゃんの子ども部屋。右上:ママの影響でおしゃれが好きというウィルマちゃんの変身ごっこ用コスチューム。右中:テーブルに並んだ木製のおままごとセットは、お菓子づくりが好きなオーダちゃんが夢中のおもちゃ。左下:窓辺に置いた小さな人形は、セカンドハンドショップでの掘り出し物。右下:プレゼントでもらったマトリョーシカを大小ずらりと並べて。

左上：絵本のポスターの横には、2009年春のコレクションとして発表したワンピース。右上：ケーキ型のステッカーに夢中のオーダちゃん。左中：スペイン人形は、近くの雑貨屋さんで。左下：のみの市で子どもたちが気に入った馬とピアノ。最近は自分でおもちゃを選ぶようになったのだそう。右下：オーダちゃんのベッドの上には、家族でよく出かける子ども劇場のポスターを貼って。

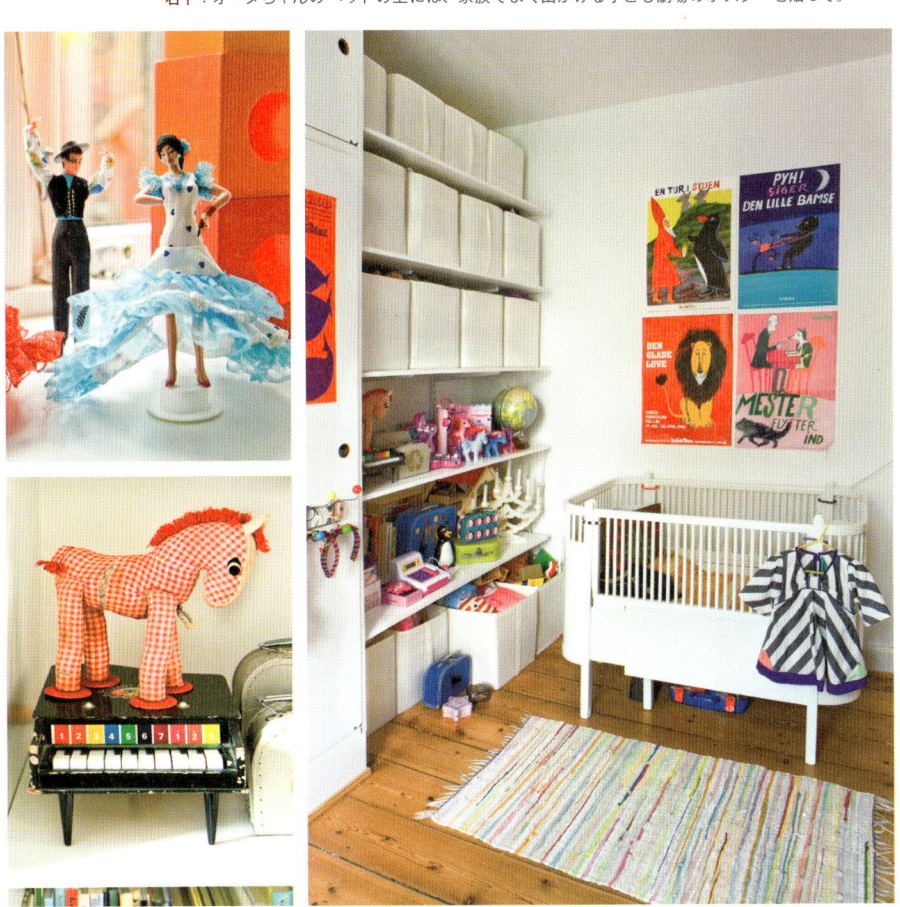

キルステン・フリーベルト
Kirsten Fribert
textile designer　テキスタイルデザイナー

アイデアいろいろ、楽しい部屋づくりはいつまでも

さまざまな形の花が空から舞い降りてくるような
ポエティックなテキスタイルをデザインしている
キルステンさんは、ヴェスタープロ地区に暮らしています。
冬の長い北欧だから、家の中は明るく楽しくなくちゃ！と
それぞれの部屋の壁を、お気に入りの色を使ってペイント。
色選びに、デコレーション、収納スペースづくりまで
小さな空間を暮らしやすいように、自分の手でアレンジ。
次々と浮かんでくるアイデアに、少しずつ取り組んでいます。
まだまだキルステンさんの部屋づくりは、続きそうです。

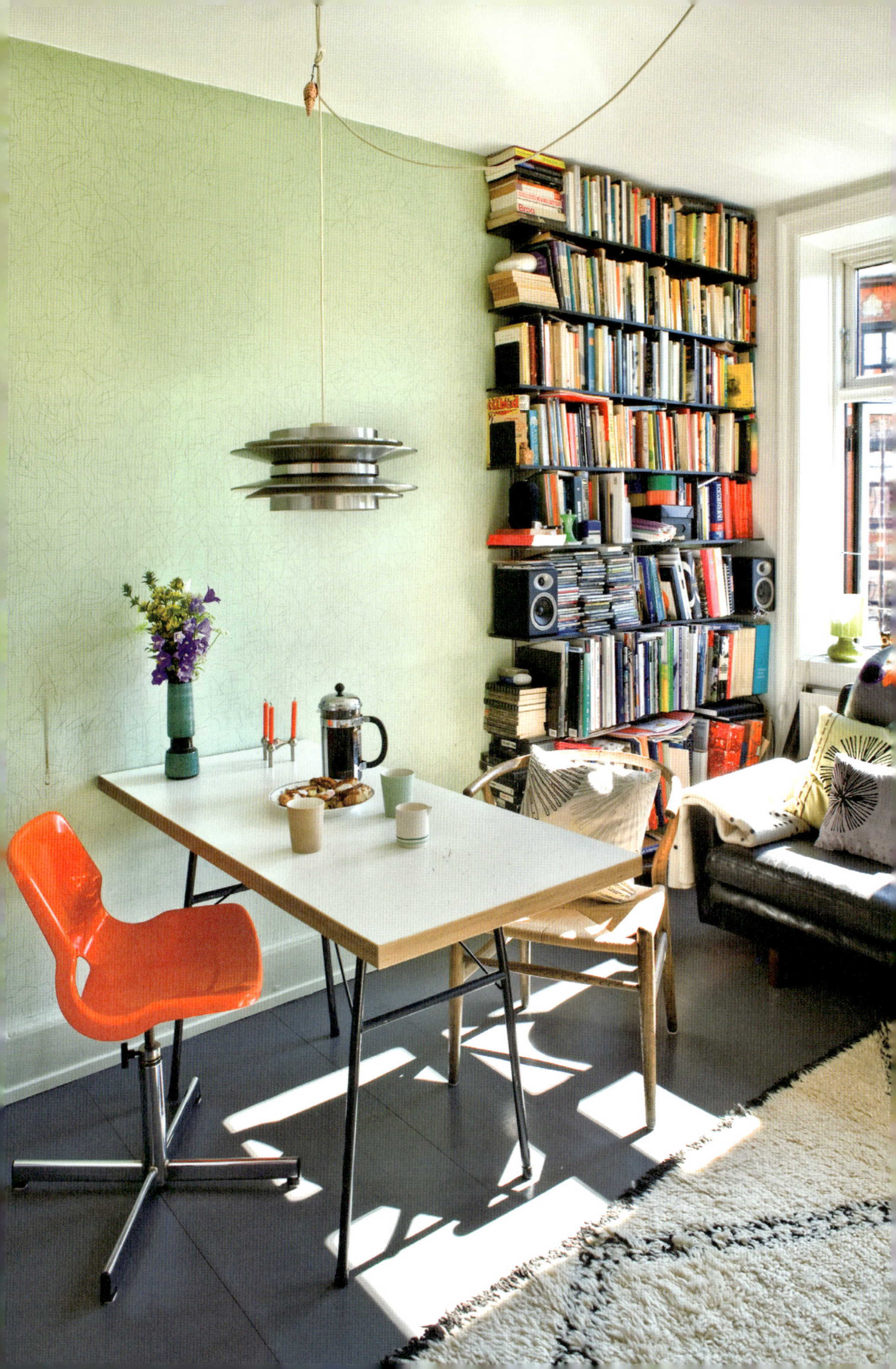

ヴェスターブロ地区は海に山、中心部にも自転車で行くことができるので、気に入っているというキルステンさん。ここに暮らして3年が経ちますが、まだリフォームは終わっていません。まずリビングをペールグリーンに、ベッドルームをクリームイエローに、キッチンを明るいグレーにペイント。棚づくりを終えて、いまはキッチンをもっと使いやすくしようと考えています。アイデアがなくなったら引っ越してしまうかもしれないというほど、リフォームを自由に楽しむキルステンさん。部屋も彼女の作品のひとつのようです。

上：通りに面したリビングの窓辺は、太陽の光が気持ちのいいくつろぎの場所。大きなソファーに並べたクッションは、すべてキルステンさんの作品。左下：編みかけのバスマットは、古いカラータイツを細長く裂いたものを素材に。右下：ふくろう型のランプは、虫除けのためのもの。その隣はデンマークのデザインユニット、クレイディーズが手がけた草をかたどった花器「グラス」。

左上：キルステンのブランド「バイ・フリーベルト」のカード。右上：ペイントしたあと、えんぴつでモザイクを描いたリビングの壁。定規でフレームになる線をひいてから、模様はお母さんと長電話しながら、1日かけて描いた大作。左下：アーティスト仲間と作品を交換して集めた絵画を飾ったコーナー。右下：セカンドハンドショップで見つけた、ネコのマークが愛らしい玄関マット。

上：ベッドルームは、床をクリームイエローにペイント。キルステンさんの手がけたリネンをはじめ、雑貨はイエローでまとめて。左下：チャリティープロジェクトのために手がけている作品のサンプル。右中：身につけるだけで、特別な気分になれる香水たち。右下：おばあさんから譲り受けた古いチェストは、アトリエをシェアしているデザイナーが手がけたテープでデコレーション。

左上:シンクの上には「プジョー」のペッパーミルと「アンヌ・ブラック」の大きなボウル。左中:
デンマークの町がハンドペイントで描かれたプレート。右上:キッチンはこれからどんなふうに
変わっていくのか楽しみ。左下:「バイ・フリーベルト」のゆでたまごカバーとエッグスタンド。
右下:「ロールストランド」のカフェポットと、イギリスの友だちからプレゼントされた缶。

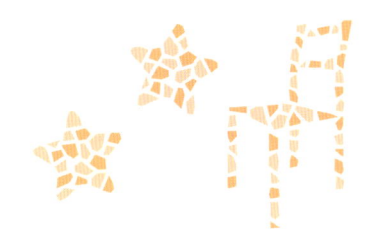

スティン&ニールス・ホルシャー
Stine & Niels Holscher
architects　建築家

コペンハーゲンの空に浮かぶ、ガラスのリビング

オレンジの屋根に、黄色の壁のアパルトマンや
れんが造りの建物が並ぶ、コペンハーゲンの古い街並。
その中でひときわ目をひく、ガラス張りの美しい建物が、
建築家カップルのスティンさんとニールスさん
そして3人のわんぱくな男の子たちが暮らす住まいです。
最上階の5階と6階に部屋はあるので、どこまでも
見渡すことができる眺めが、いちばんのインテリア。
ごはんを食べるときも、くつろいでいるときも
コペンハーゲンの空をただよっているかのようです。

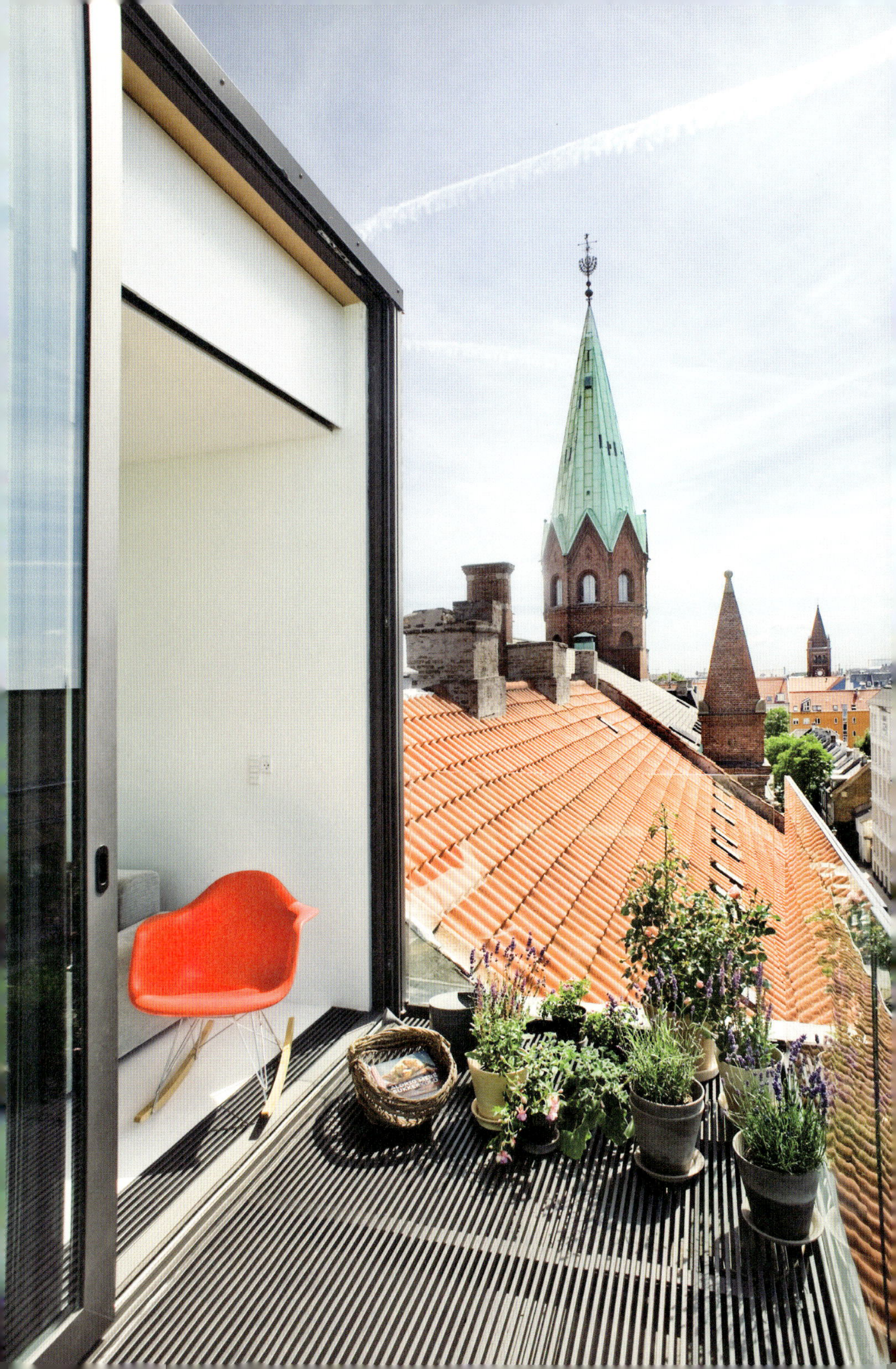

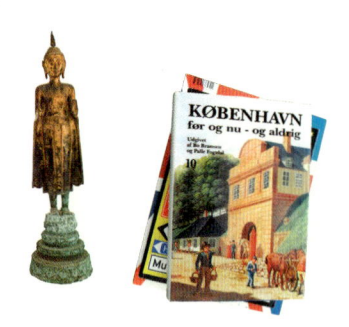

アパルトマンのどの場所からも街を見渡せる、気持ちのいい建物をデザインしたのは、ニールスさんとお友だちの建築家。スティンさんは、キッチンとバスルームのデザインに参加しました。玄関を入るとエントランスホールがあり、階段をのぼるとキッチンやリビングなどのプライベートなスペース。そしてエレベーター上のくぼみを利用して、子どもたちのためのスペースを作りました。元気な男の子たちがどこでもかけまわることができるよう、そしてパパとママはみんなを見守ることができるようになっています。

左上：エントランスは、まるで宇宙船の入り口のよう。ポール・ケアホルムがデザインしたイスが並んでいます。右上：エントランスから見上げると、ガラス張りの床越しにエミールくんとマッズくんが「こんにちは！」。右下：ブルーがさわやかな「イッタラ」のグラス。

上：リビングのソファーは、ピエロ・リッソーニのデザイン。ローテーブルは、同じく建築家だったニールスさんのお父さんから譲ってもらったもの。**左下**：写真撮影のあいだも大騒ぎ！エミールくんは6歳、マッズくんは3歳で、ふたりともやんちゃ盛りです。1歳のサイモンくんもお兄ちゃんたちの後を追いかけます。**右下**：ポール・ケアホルムのイス「PK1」はレザー・モデルを選んで。

「フライング・キッチン」をイメージしてデザインしたというキッチン。デンマークのオーク材を使ったスライディング・ドアの中に、食器や調理道具を収納しています。

左上：サイモンくんのベビーベッドには、デンマークの「キャトヴィ」のシーツをかけて。左中：マッズくんのトラクター。男の子たちはいま建築用のマシーンに夢中なのだそう。右上：子どもたちのためのスペースは、秘密基地のような雰囲気。左下：スティンさんがサラ・ミュラッツさんと立ち上げたブランド「スーパースペース」の星形クッション。右下：エミールくんとマッズくんのお気に入りの絵本。

ニコル・クリュッケンベルク＆ヨーナス・ブロイム
Nicole Kruckenberg & Jonas Breum

ceramic artist & musician　セラミックアーティスト＆ミュージシャン

ハッピーとやさしさの花が咲く、小さなキッチン

セラミックアーティストのニコルさんと
エレクトロ・ポップロックのバンドを組む
ヨーナスさん、そして4歳になるヨナサンくん。
3人が暮らすのは、ヴェスターブロ地区のアパルトマン。
テーブルに壁に、色とりどりの花が咲いたような
キュートなキッチンは、自分たちでリフォーム。
ふたりとも料理することと食べることが、毎日の楽しみ。
家族で食事をとる、この小さなテーブルのまわりは
ハッピーに、やさしさいっぱいにデコレーションしました。

左上：写真でいい顔を作るおまじない「ABC」で、みんな笑顔に。**左中**：サイクリングの途中で摘んできたエルダーフラワーで、シロップを作っているところ。**右上**：家族にぴったりの場所とニコルさん自慢のキッチン。**左下**：コペンハーゲンの観光スポット、人魚姫の像を描いたプレート。**右下**：デザインスクールの最初の学年で作った思い出のポットは、いまもキッチンで活躍中。

コペンハーゲン南西部のヴェスターブロは、にぎやかだったり落ち着いていたり、通りごとに表情を変える地区。ニコルさんたち家族が暮らすのは、アパルトマンが建ち並ぶ静かな界隈です。引っ越してくる前に、自分たちで床を磨きあげ壁紙を変えて、さっぱりと気持ちのいい空間にリフォームしました。住まいはリビングとベッドルーム、キッチンにバスルームという間取り。部屋のあちこちに陶器やフォトフレームを飾って、インテリアを楽しんでいるニコルさん。小さな雑貨も組み合わせによって、新しい雰囲気をもたらします。

左上：キッチンの飾り棚には、お気に入りのお皿が並びます。右上：「ロイヤル・コペンハーゲン」のイヤープレートは、ふたりが生まれた年のもの。右下：ニコルさんがタイ料理にインスピレーションを得て作った、ふた付きボウル。

左上：陶器の動物のフィギュアからアイデアを得たカップ&ソーサー。**中上**：脚付きプレートもニコルさんの作品。**右上**：自家製シロップは、水で割ると夏にぴったりのさわやかな飲み物に。**左中**：ニコルさんがペイントした植木鉢カバー。**左下**：気分を落ち着かせてくれるキャンドルはいつも身近に。**右下**：ソファーの後ろのポスターは、「ザ・キュアー」の大ファンのニコルさんへヨーナスさんからのプレゼント。

リビングのテーブルそばの壁は、特別な思いがこもったコーナー。メキシコで見つけた鏡を中心に、家族や友だちなど大好きな人たちの写真を飾っています。

左上：ヨナサンくんはいまおしゃべりすることや、文字を書くことに夢中。右上：ハイベッドの横には、すぐ手が届くところに絵本が並びます。左下：チェストとキャビネット・ミラーは、もともとおじいさんとおばあさんのサマーハウスに置いていたもの。右中：ヨナサンくんが4ヶ月のときの写真。右下：ニコルさんの作ったプレートの上に、アクセサリーなどを並べて。

ディッテ・ローデ＆トーマス・リボール
Ditte Rode & Thomas Ryborg

architects　建築家

家族の暮らしの中で、ぬくもりを持ったモダニズム

大きな窓から入ってくる、まぶしい光と
さわやかな風が心地よい、アパルトマン。
リビングでは、小さなアンナ・ヌールちゃんが
お絵描きしたいと、道具箱からペンキや布を
引っぱりだすのに、夢中になっているよう……。
ここに暮らすのはディッテさんとトーマスさん一家。
インダストリアル・スタイルの家具やランプ
グラフィックの美しいポスターなどが飾られた
建築家カップルらしいデザインを感じる空間です。

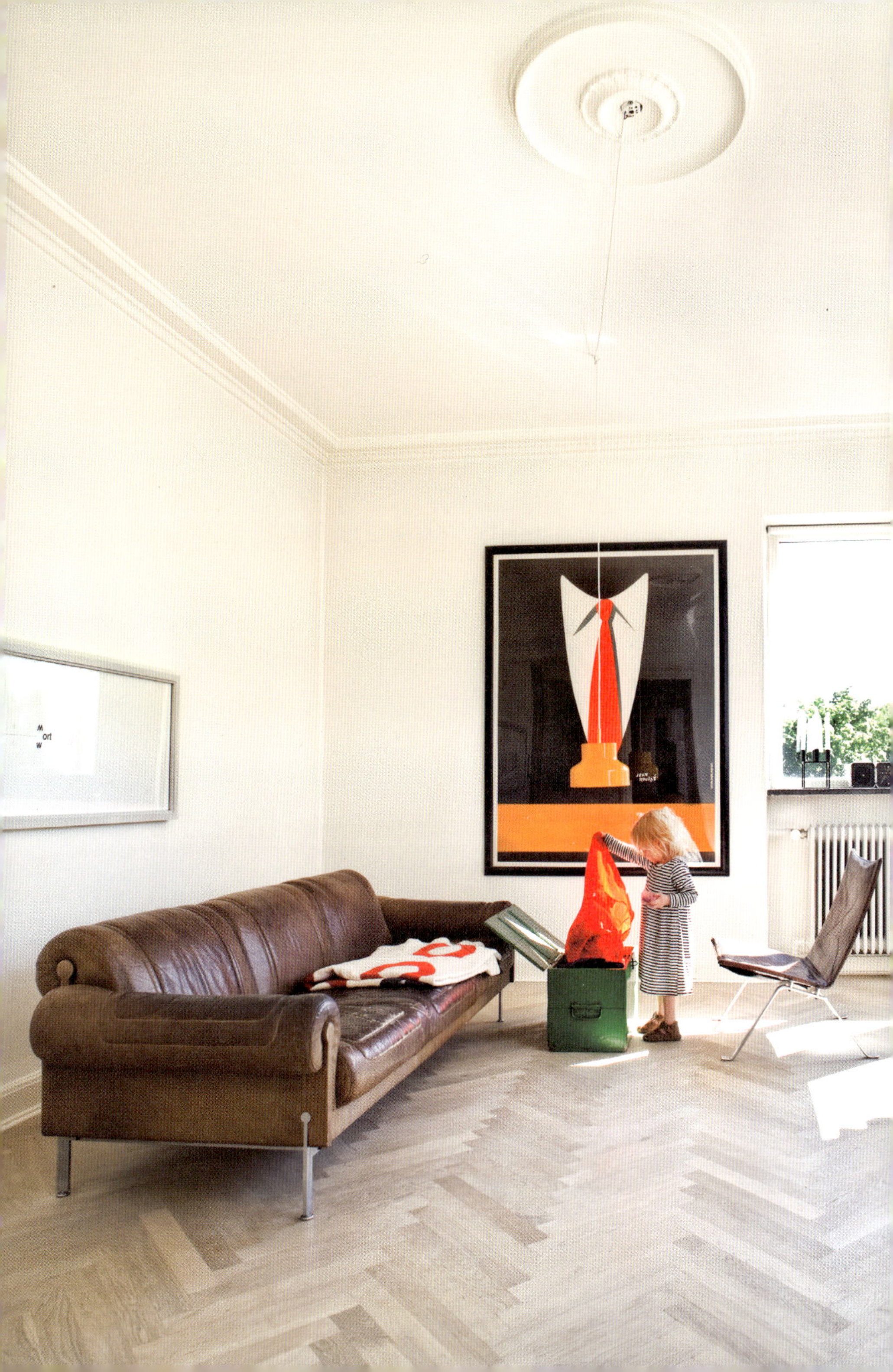

フレデリクスベア地区に1931年に建てられたアパルトマンに暮らす、ディッテさんとトーマスさん。子どもたちは14歳のお兄ちゃんヴィクトールくんと、7歳のセルマちゃん、そして2歳のアンナ・ヌールちゃんの3人。リビングからダイニング、アトリエまでがひと続きになった広々とした空間には、家族が集まってきていつもにぎやかです。ディッテさんとトーマスさんお気に入りの場所は、リフォームしたばかりのオープンキッチン。冷蔵庫もオーブンもすべて黒いドアの内側におさめているので、すっきりしています。

左上：ディッテさんのおじいさんが作ってくれた本棚。右上：インゴ・マウラーがデザインした翼付きのランプ「ルーチェリーノ」。右下：玄関にはウォールラック「ウーテン・シロ」を取り付けて、かぎやアクセサリーなどを収納。

左上：家族で集まったレザーのソファーベッドは、トーマスさんのデザイン。右上：のみの市で見つけた木のトレーに、コーヒーセットを並べて。左中：「ゴロワ」のポスターは、パリのクリニャンクールののみの市での掘り出し物。左下：ドイツの建築家ミースのデザインに影響を受けたイス。右下：まん中の部屋は、ディッテさんとトーマスさんで作ったテーブルを中心にしたダイニング。

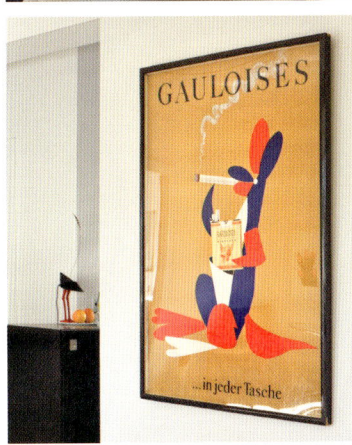

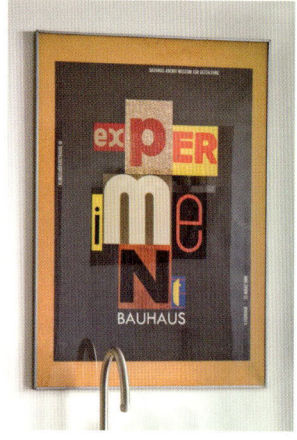

左上：ダイニングとつながるようリフォームしたオープンキッチン。カウンターの上にセルマちゃんがのぼって、おやつを探しています。右上：バウハウスのポスター。右中：鳥を模したランプはインゴ・マウラーの「ビビビビ」。左下：イタリアのフラボスク社のカプチーノ・クリーマー。右下：バウハウスの建築家、ウィルヘルム・ワーゲンフェルドがデザインしたガラスケースは、見つけるたびに少しずつ集めているもの。

上：いちばん奥の部屋は、壁一面に本棚を作り、明るい窓に向かって横並びにデスクを置いたアトリエ・スペース。インダストリアル・スタイルのランプは、自分たちで作ったもの。**左下**：ジョエ・コロンボのデザインしたキャスター付きの「ボビー・ワゴン」。**右中**：トーマスさんが両親のために設計した海沿いの家。**右下**：トーマスさんがお父さんからプレゼントされたドストエフスキー全集。

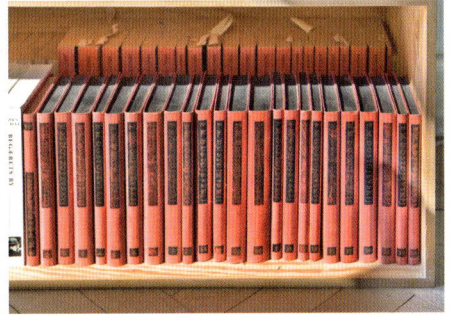

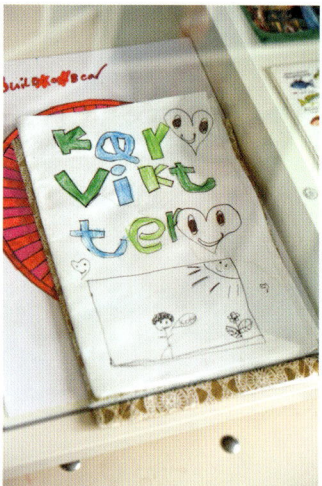

左上：セルマちゃんとアンナ・ヌールちゃんのためにデザインした二段ベッド。**右上**：のみの市で見つけたカラフルな棚の中ひとつひとつに、小さなオブジェを並べて。**右中**：お兄ちゃんのためにセルマちゃんが作った絵本。**左下**：デンマークの子どもたちが大好きな「バーババパ」のフィギュア。**右下**：アンナ・ヌールちゃん1歳の誕生日に、セルマちゃんが作ったプレゼント。

左上：ヴィクトールくんのデスクの上の飾り棚に並ぶ、お気に入りのおもちゃ。右上：レゴ・ブロックで作ったトラの絵。左中：ピンナップボードの横に飾られた楽器は、ディッテさんとトーマスさんからのイスタンブールみやげ。左下：ベッドそばのラックに並ぶドナルドダックのコミックは、小さなときから集めていたもの。右下：ゲームで遊んでいると、セルマちゃんがそばにやってきました。

サラ・ミュラッツ
Sara Müllertz
architect　建築家

すくすくと、のびのびと過ごせる、大地のような家

コペンハーゲン北部のウスタブロ地区。
もともとヴァカンスのための避暑地だったという
美しい街の中に、建築家のサラさんの家はあります。
庭にはりんごの木がある、大きな一軒家を
3家族でシェアしながら、暮らしています。
アパルトマンの中で、家族は木の実のような存在。
リラックスできる自然な空間で過ごすことで、
すくすくと大きく育っていくはず、というサラさん。
そんな大地のような、ぬくもりのある家です。

左上：スティン・ホルシャーさんと一緒に、インテリアデザインの会社「スーパースペース」を立ち上げたサラさん。左中：「デザイン・バイ・アス」のテーブルランプ。右上：白をベースにしたリビングは、赤がアクセント。壁の絵画はロサンゼルスのアーティスト、サデウス・ストロードの作品。左下：子どものころからずっと大切にしてきたドナルド・ダックのコミック。右下：大きなトレーをキャンドル立てに。

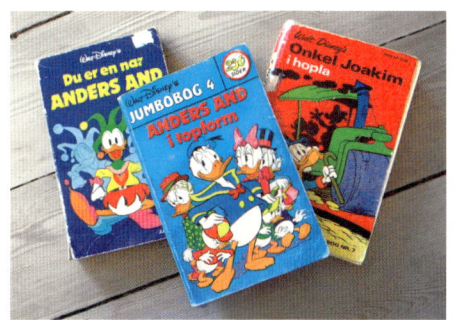

サラさんがデザインをしてリフォームしたアパルトマンは、リビングとキッチン、そしてベッドルームと子ども部屋という間取り。太陽の光をできるだけ長い時間、たくさん取り込むことができるよう工夫されています。サラさんにとって、7歳になるエレンちゃんと5歳のビヨルンくんと過ごす時間はかけがえのないもの。朝日とともにテラスへ出たり、キッチンで料理したり、家の中でかくれんぼしたり、ときには20人もの友だちを招いて庭でピクニックしたり、子どもたちと一緒になって、にぎやかに楽しんでいます。

左上：暖炉の上には、スケートボーダーとしても活躍するアーティスト、エド・テンプルトンの女性の表裏をテーマにした作品。右上：エレンちゃんとビヨルンくんの写真は、友だちが撮影してくれたもの。右下：エレンちゃんの工作が並ぶコーナー。

上：キッチンは、毎日使って気持ちのいいシンプルな空間をイメージしてデザイン。木を扱う仕事をしていたお父さんの影響もあって、木のぬくもりが感じられるインテリアにしました。**中**：オーブン上の棚に並ぶレシピブック。**左下＆右下**：サラさんのおばのインゲボルグ・ウエステンホルツさんが手がけたティーポットと水差し。**中下**：キャンドルホルダーは、モーエンス・ラッセンのデザイン。

リビングの壁一面を使った棚は、サラさんのデザイン。子どもたちが小さな白いケースを積み重ねて遊んでいた様子がインスピレーションソースになりました。

Museums
Japan Houses
JOHN GRISHAM
LÄCKBERG
SMLXL
Mexico
HUSE
HAVEBOG
NEW FORMS

左上：サラさんのデザインしたベッドの上には、ノルウェーのガーダー・アイダ・アイナーソンの作品を飾って。右上：靴が大好きというサラさん。靴用の棚をベッドルームに設けました。
右中：ウェグナーのYチェアは、お母さんから譲り受けたもの。左下＆右下：キッチンにつながるテラスは、家族全員お気に入りの場所。ここで育てたハーブをお料理に使ったりします。

左上：エレンちゃんの部屋の壁一面のピンナップは、自分でレイアウトを考えて貼っていったもの。右上：ドアでは、エレンちゃんの自画像がお出迎え。紙の上に横になって、自分のシルエットにそって線をひいて描いたのだそう。左中&左下：ポップアップカードに手を加えたり、コラージュしたり、お絵描きが大好き。右下：ベッドの下は、お絵描きのためのスペース。最近はインテリアも自分で考えています。

マリン・シュミット&トーマス・ベンツェン
Malin Schmidt & Thomas Bentzen

journalist & furniture designer　ジャーナリスト&家具デザイナー

北欧デザインの魅力がつまった、モダン・リビング

まるみを帯びたプラスの形をしたスツールに
どこでも簡単に動かせる、持ち手付きの小さなテーブル。
トーマスさんがデザインする家具には、楽しさと
シンプルさがまっすぐに感じられるものばかり。
素敵な家具が並ぶリビングは、ショールームのよう。
まっ白にペイントした空間の中で、
その美しいフォルムが、浮かびあがります。
この部屋で、いちはやく作品を試してみることを
トーマスさんもマリンさんも楽しみにしています。

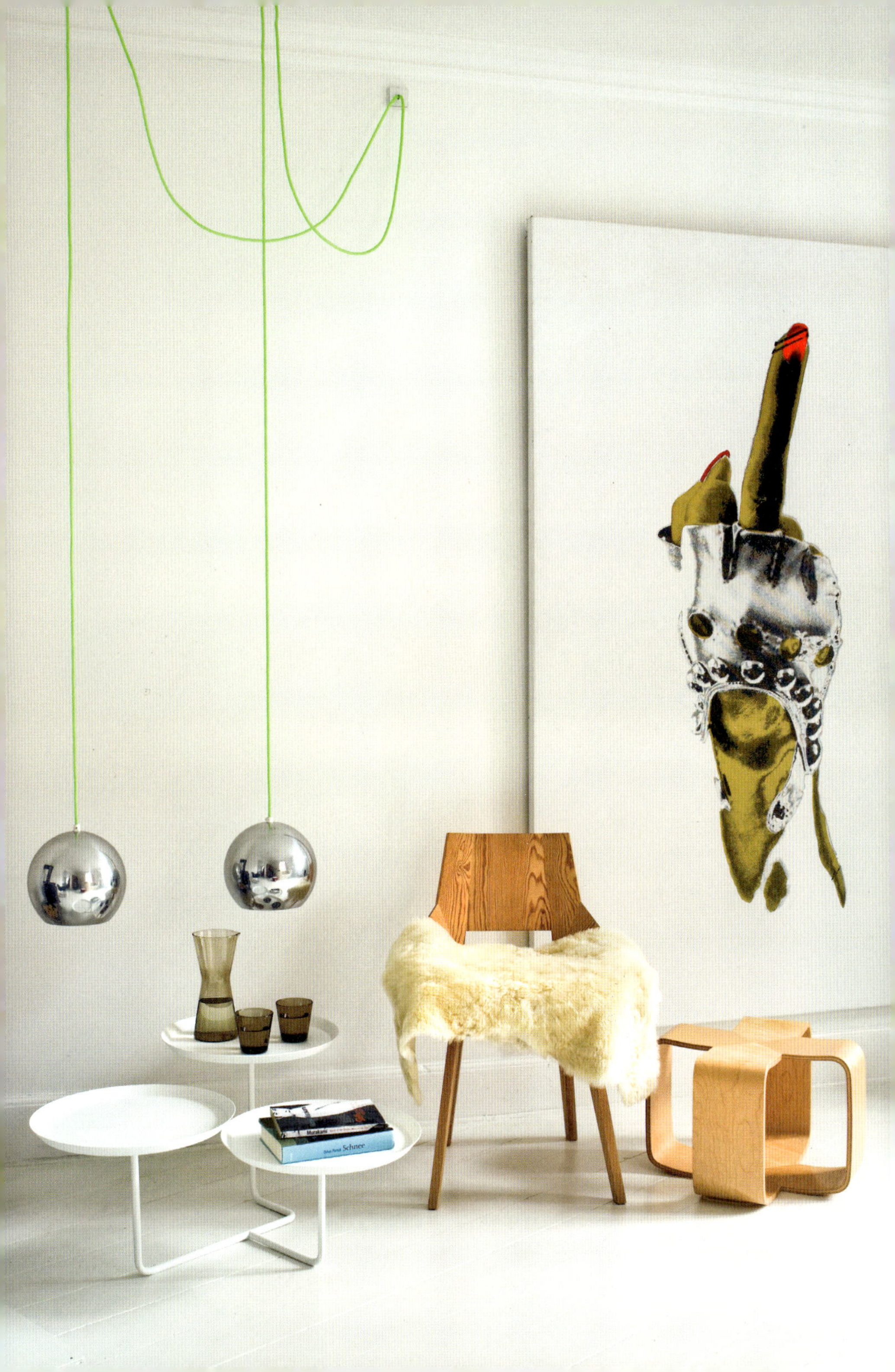
Murakami
Schnee

ヴェスターブロ地区にある1902年築のアパルトマンに暮らすマリンさんは、日刊紙「インフォメーション」のジャーナリスト。そしてトーマスさんはデザイナーのルイーズ・キャンベルさんとともに働きながら、自分の作品も発表している家具デザイナーです。7ヶ月になったばかりのアルヴァーくんがいるので、ふたりは交代で育児休暇中。このアパルトマンは自分たちでまっ白にペイント。そのおかげで、ずいぶん明るく広く感じるようになったそう。そして家具とのコントラストが、より際立つようになりました。

左上：ソファーはルイーズ・キャンベル・スタジオから発表したプロトタイプ。アルヴァーくんのおもちゃ入れは、フランス人兄弟ロナン＆エルワン・ブルレックの作品。右上：バスタブをイメージしてデザインしたソファーに包みこまれるように座って。右下：トーマスさんがデザインしたモバイル・テーブル「DLM」。

左上：あざやかな赤のテーブルが印象的なキッチン。ヴェルナー・パントンのランプを吊るして。右上：ドイツのデザイナー、コンスタンチン・グルチッチのイス。右中：アルヴァーくんのために用意したイスは「トリップトラップ」。左下：「ロイヤル・コペンハーゲン」のためにルイーズさんとともにデザインした「エレメンツ」シリーズ。右下：キャンドルスタンドも「ルイーズ・キャンベル」のもの。

ユーリエ・エレゴー
Julie Ellegaard
graphic designer　グラフィックデザイナー

お気に入りのオブジェを並べた、ベッドルーム

のみの市や旅先で、ユニークなオブジェを
見つけるのが好きという、ユーリエさん。
おやすみの日には、のみの市めぐりを楽しみます。
特に身体をモチーフにしたものにひかれるそう。
お気に入りのオブジェは、アパルトマンの中でも、
いちばん長い時間を過ごす、ベッドルームにディスプレイ。
チャリティマーケットで見つけた、V字型のランプ
ロンドンののみの市で出会った、足型マネキンなど
とっておきの掘り出し物が、チェストの上に並びます。

左上：ファッション誌「インターミッション」のヴィジュアル・デザインを手がけているユーリエさん。左中：処分されそうになっていた看板や、のみの市での掘り出し物のバッグや手型など、古いオブジェをディスプレイ。右上：ベッドサイドには、ワンピースやバッグなどのファッション小物を美しく飾って。左下：ノアブロ地区ののみの市で見つけた靴。右下：お気に入りの香水。

エキゾチックなレストランやヴィンテージショップなど、さまざまなカルチャーがミックスするノアブロ地区。まるでいろいろな楽器が集まって演奏が行われるコンサート会場のようで、ワクワクするというユーリエさん。1850年に建てられたアパルトマンの1階が、彼女の部屋です。静かな中庭に面していて、お天気のよい朝には、この庭に出て食事をするのが楽しみ。シェフとして働くボーイフレンドが遊びにやってくると、インドやベトナム、アフリカなどのエスニックな料理を一緒に作って、ふたりの時間を過ごします。

左上：デンマーク南部の港町、ファボーグののみの市で見つけたソファー。壁にはお気に入りの写真作品を並べて。左上：デンマークの出版社による「シャネル」の本。
右下：磁器とともに飾った写真は、ユーリエさんとクラスメイトの共同作品。

Carte Postale

(あて先)
〒150-0001
東京都渋谷区神宮前3-5-6
ジュウ・ドウ・ポウム 行
édition Paumes Japan

フリガナ

お名前

ご住所
〒

お電話番号

メールアドレス　　　　　　　　　　　　　＠

ご職業

年齢　　　　　　歳　　性別　　□ woman　　□ man

大変恐縮ですが
50円切手を
お貼りください

アンケートにご協力いただいた方の中から抽選で毎月3名
様に、ジュウ・ドウ・ポウムのオリジナルポストカードセット(5
枚組/セットの内容はお楽しみに)をプレゼント! 当選者の発
表は発送をもってかえさせていただきます。

Copenhagen Apartments

ジュウ・ドゥ・ポゥム

この度は「北欧コペンハーゲンのアパルトマン」をお買い上げいただき、誠にありがとうございます。今後の編集の参考にさせていただきますので、右記の質問にお答えくださいますようお願いいたします。
なお、ご記入いただいた項目のうち、個人情報に該当するものは新刊のご案内・商品当選の際の発送以外の目的には使用いたしません。

メールアドレスを記入いただいた方にはジュウ・ドゥ・ポゥムより新刊書籍のご案内などの情報をお送りしたいと思っております。必要でない方はこちらの欄にチェックお願いします。

□ 情報は不要です

1. 本書を何でお知りになりましたか?
   □ 雑誌 (　　　　　) □ ホームページ (　　　　　) □ 店頭
   □ その他 (　　　　　)

2. 本書をお買い上げいただいた店名をお教えください。
   市町村名　　　　　　　　　店名

3. 本書をお買い上げいただいたきっかけを下記の項目からひとつだけお選びください。
   □ コペンハーゲンに興味 □ アーティストに興味 □ インテリアに興味 □ 海外の暮らしに興味
   □ 写真にひかれて □ 装丁・デザインにひかれて □ その他 (　　　　　)

4. 本書に関するご意見、ご感想をお聞かせください。

5. 現在、あなたが興味のある物事や人物などについて教えてください。

● ジュウ・ドゥ・ポゥムの活動については http://www.paumes.com をご覧ください。

左上：水差しは、子どものころに暮らしていた家の隣にあったアトリエで作られたもの。左中：冷蔵庫には雑誌の切り抜きなど気になったイメージをピンナップ。右上：キッチンの飾り棚には、のみの市で見つけた食器やポットが並びます。左下：カッティングボードは、ファッションでも気になるきのこのモチーフを選びました。右下：「ロイヤル・コペンハーゲン」のカップ＆ソーサー。

ナンナ・フヴァス
Nan Na Hvass
graphic designer　グラフィックデザイナー

さまざまな色が集まって生まれる、ひとつだけの世界

ピンクと赤、オレンジにグリーン、そして紫……
ポップな色合わせが楽しい、ナンナさんの部屋。
いちばん好きな色は？とたずねると
ひとつの色は選べないわ、というナンナさん。
彼女にとって、色はいくつも集まったときに
なにか特別な思いや、感動が生まれるもの。
そんなナンナさんのことばどおり、部屋の中には
いくつもの色が、楽しそうに重なりあって、
スペシャルな雰囲気が、かもしだされます。

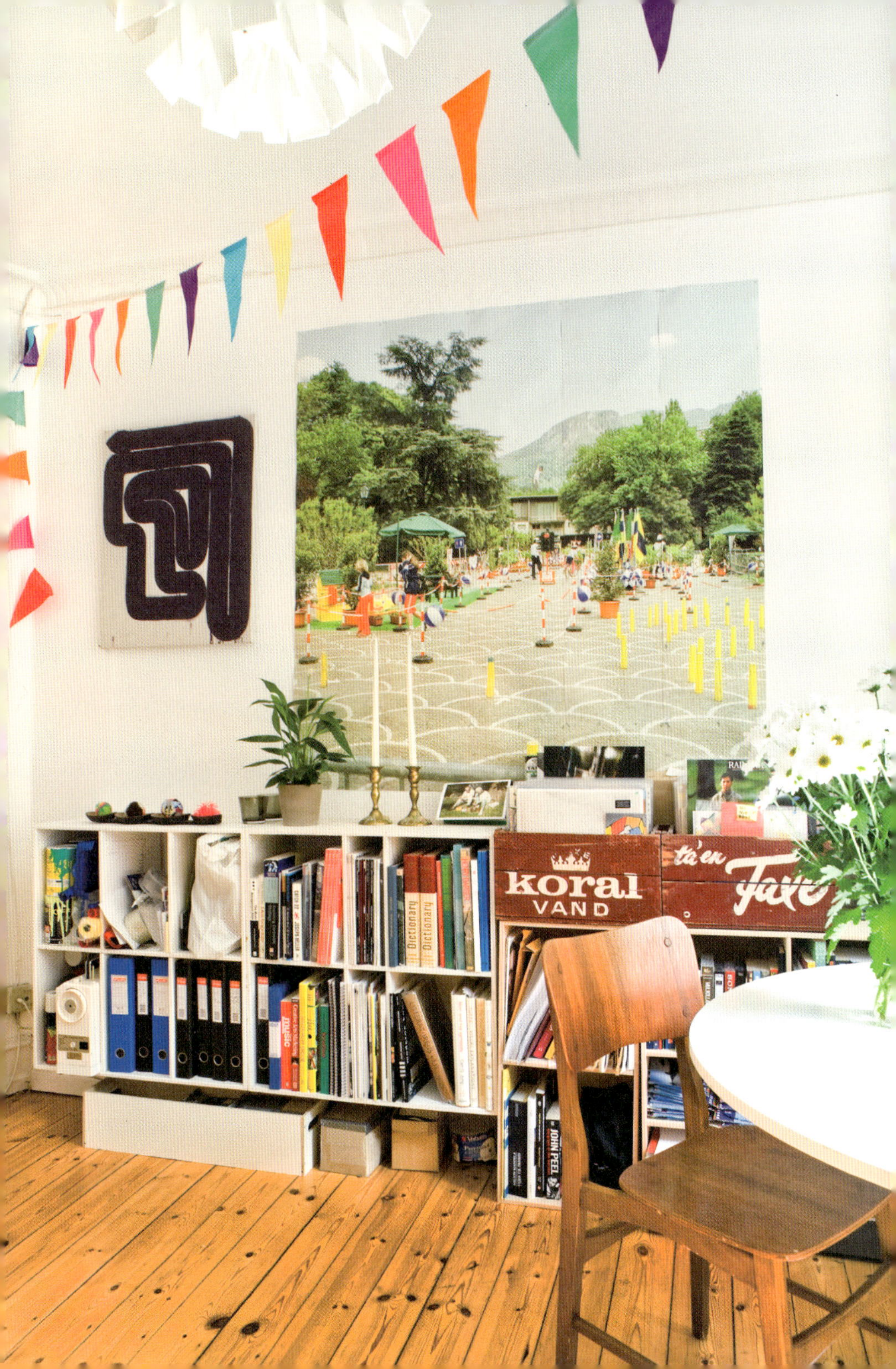
koral
VAND
Dictionary
Dictionary
music
JOHN PEEL

ナンナさんは、高校生のころからの親友ソフィー・ハンニバルさんと一緒に、グラフィックデザインとイラストを手がけるスタジオ「フヴァス&ハンニバル」を立ち上げました。広告や雑誌、そして書籍のカバー、レコードジャケットのデザインのほかにインスタレーションなども行い、カラフルな世界を作り出しています。ナンナさんが暮らすのは、コペンハーゲン中央駅に近いヴェスターブロ地区。友だちがよく遊びにくるので、リビングではふたつのベッドをソファー代わりに。いつでもにぎやかなアパルトマンです。

上：ふたつのベッドを並べたリビング。壁にはグラフィックが気に入っている、ポーランドのポスターを飾って。ボーイフレンドのラスムスさんは、ミュージシャンなのでCDやレコードがたくさん並んでいます。左下：デザインスクールに通っていたころ、手作りしたクッション。右下：ラスムスさんのバンド「エフタクランク」のアルバムは、ナンナさんのデザイン。

左上：もともとアトリエとして使っていた部屋。いまは住まいと別にアトリエを持つことができたので、友だちが来たときのためのダイニング・スペースに。右中：セーターやブランケット、ウールの繊維をまるめた小さなボールを集めて作った作品。左下：建築家のお父さんが譲ってくれた古いイスは、ひっくり返すと脚立に変身。右下：のみの市で見つけたラグをベッドの足下に。

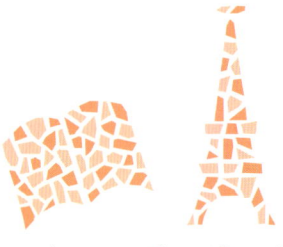

リッケ・グレーボー＆アンデス・ビュスク‐ファボール
Rikke Graeber & Anders Busk-Faaborg
art director & interior designer　アートディレクター＆インテリアデザイナー

さんさんと太陽の光が降り注ぐ、笑顔のリビング

いつもにこにこ笑顔がかわいらしいウィルマちゃん
そして生まれたばかり、7週目のヘルムットくん。
ママのリッケさんと、パパのアンデスさんの
4人が暮らすアパルトマンは、それぞれの部屋に
大きな窓がついていて、太陽の光でいっぱい。
アンデスさんがデザインしたダイニングテーブルも
光を受けて、まっ白に輝くようです。
ゆったりとソファーに座って、光を浴びながら
窓からの眺めを楽しむのは、ぜいたくなひととき。

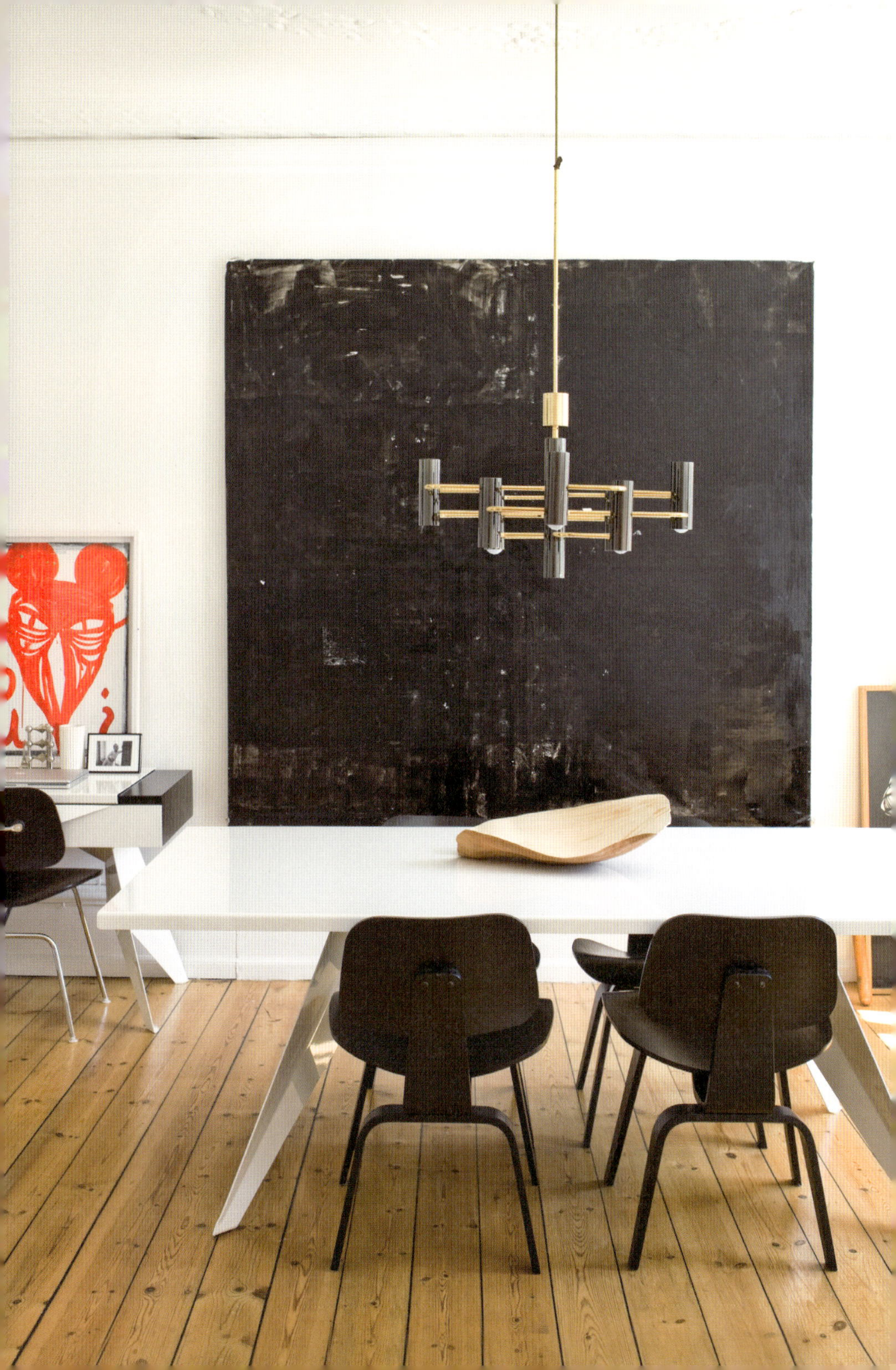

フレデリクスベア地区の静かな通りに建つ、アパルトマンに暮らすリッケさんとアンデスさん一家。ウィルマちゃんの学校にほど近い場所で、コペンハーゲン中心部のシティまで仕事に行くときは自転車に乗って出かけられる距離なので、とても便利。ヘルムットくんが生まれたばかりなので、家族はみんなうれしそう。ヘルムットくんはおとなしい赤ちゃんで、目をきょろきょろさせながら周りを観察したり、ときどき笑い出したりします。そんな様子を眺めていると、アパルトマン全体におだやかで、しあわせな時間が流れます。

左上：アンデスさんがデザインしたデスクに寄りかかるウィルマちゃん。デスクの上の絵画は、ドゥールト・ナオミの作品。右上：デスク横のボードには、さまざまなものをピンナップ。右下：リッケさんのバッグとスカーフ。

右上：デンマークのエヴァソロ社のコーヒーメーカーを、たくさんのお客さんが集まる日は水差し代わりに。**左中**：ポーランド生まれのガラスの花器に、花をたっぷりいけて。**左下**：切り絵作品の前には、イサム・ノグチの「アカリ」。**右下**：折り紙がインスピレーションソースになったという、アンデスさんがデザインしたテーブルがダイニングの中心。イスはイームズの「LCW」。

上：ダイニングに続く、開放感のあるリビング。ハリー・ベルトイアの「バード・チェア」やエーロ・サーリネンの「ウーム・チェア」など、座り心地のよいイスが並びます。左下：のみの市で見つけたタワー型のオブジェ。スツールの上に、イサム・ノグチのライトを置いて。右中：クッションは「クレーム・ドゥ・ラ・クレーム」のもの。右下：壁に沿って、雑誌がたくさん並べられていました。

左上：タイやバリなど、旅先で見つけた花器。右上：デンマークのアーティストの作品。左中：リッケさんがアートディレクターを務めるファッション誌「カバー」。左下：雑誌の上に乗る鳥のオブジェは、ウィルマちゃんが作ったもの。右下：縦に横にパズルのピースのように本が並ぶ棚。その前に置いたフロアランプは、アンデスさんが50年代の北欧のライトのパーツを組み合わせて作ったもの。

左上：キッチンのカウンターに飾った白いユリ。左中：コラージュで描いたふくろうの作品は、サラ・ベイカーのもの。右上：玄関近くにあるキッチンは、細長い造り。窓辺に家族で食事をする小さなテーブルを置いて。左下：廊下のつきあたりにあるベッドルームには、「マルベリー」の古い壁紙を貼りました。右下：ヘルムットくんは、パパとママの大きなベッドの上でお昼寝中。

左上：お絵描きが好きなウィルマちゃん。**右上**：アンデルセンの童話「エンドウ豆の上に寝たお姫さま」のおもちゃ。**右中**：ベッドの上には「ミリペ」で見つけたクッション。**左中**：おままごと用の小さなティーセット。**左下**：ウィルマちゃんがアイロンビーズで作ったお花。**右下**：ひいおばあさんが作ってくれたコラージュ・チェストの上には、国立博物館に行ったときに描いた絵を飾って。

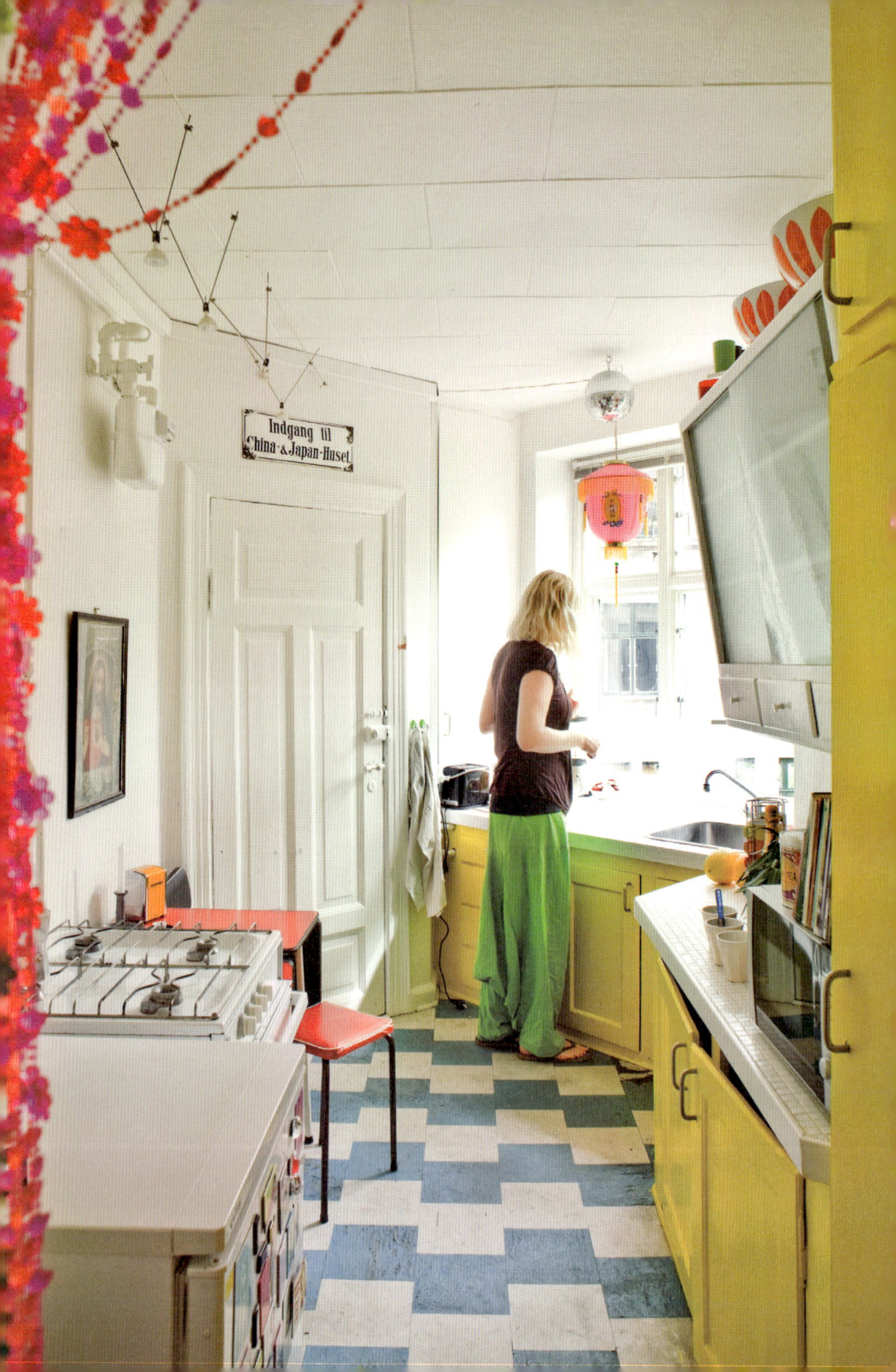
Indgang til
China-&Japan-Huset

マリア・ムンクホルム
Maria Munkholm
visual set designer　映像セットデザイナー

フレッシュな果物みたい、カラフル・キッチン

旅することが大好きという、マリアさん。
じっとしているよりも、いつでも動いていたい。
いろいろな発見や出会いがたくさんある人生を
できる限り、楽しみたいと思っているのだそう。
そんなマリアさんの部屋は、彼女を表すかのように
いきいきとしていて、弾けるようにフレッシュ。
キッチンは、自分であざやかなイエローにペイント。
旅先から持ち帰った、食器やオブジェを飾って
楽しかった思い出に、エネルギーをもらっています。

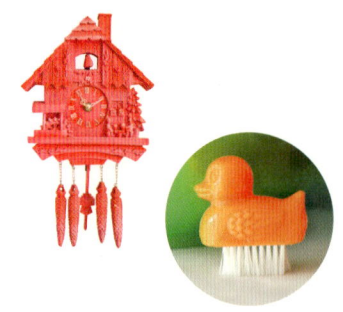

コペンハーゲンの南にある、アマー島に暮らすマリアさん。夏になると海で泳いだり、海辺のカフェで食事をしたりすることができる、おだやかで暮らしやすい地域です。イタリアやロンドン、アフリカ、スペインなど、さまざまな国をまわってきた彼女が、いちばん影響を受けたのはインド。その暮らしぶりの美しさにひかれて、まるで通うかのように何度も旅しています。家の中では、こぢんまりしたキッチンがお気に入りのスペース。落ち着いて読書をしたり、デッサンをしたりして過ごすことができます。

左上：窓辺の飾り棚には、カラフルな食器をディスプレイ。右上：冷蔵庫の上にはきれいな水色のストローと、セカンドハンドショップで見つけたマドラーを並べて。右下：中庭でピクニックするときに、簡単に持ち運びできるマグカップ・セット。

左上：マリアさんがショーウィンドウのディスプレイを手がけているショップ「コン・アモーレ」で見つけた、キリストの絵。左下：脚付きプランターは、のみの市での掘り出し物。右上：作り付けの食器棚は、コペンハーゲンの古いアパルトマンでよく見られるスタイル。左下：ちょっとユーモラスなデザインのものを見かけると集めているというマグネットが、冷蔵庫の上にたくさん。

上：リビングの棚は、マリアさんがデザインして、お父さんにお願いして作ってもらったもの。本は表紙の色ごとに分けて並べるのがマリアさんのスタイル。棚の上に飾った大判の絵画はマリアさんの作品です。左中：インドから持ち帰ったおみやげ。左下：お気に入りのプラスチック・フレームのサングラス。右下：ヴィンテージのチェストの上には、バーの看板だった「K」の文字を飾って。

左上：ダイニングテーブルのそばには、親戚の男の子が描いたイラストを中心に、気に入ったイメージをディスプレイ。右上：最近、愛用しているバッグ。左中：あざやかな発色のプラスチック素材のアクセサリー・コレクション。左下：50年代スタイルのポストカードの前に、おもちゃなどキッチュな雑貨を集めて。右下：ダイニングのイスは、いちばん好きな色というグリーンにペイント。

アリカ・ガーダー・ピーターセン
Alikka Garder Petersen
ceramic artist　セラミックアーティスト

おだやかな時間が流れる、日だまりのキッチン

コーヒーがカップをつたい、垂れていった跡のように
細くなったり太くなったり、液体が自然に描き出す模様。
その美しさをセラミックに取り入れているアリカさん。
彼女のキッチンには、ネイビーやブラウン、茶色で
ラインが入った、ボウルやマグカップが並びます。
ダイニングテーブルの上に吊るされたランプシェードも、
あたたかみのある磁器の輝きを感じさせる作品です。
ミルクのような白い色をしたセラミックから
アリカさんのおだやかさや、やさしさが感じられます。

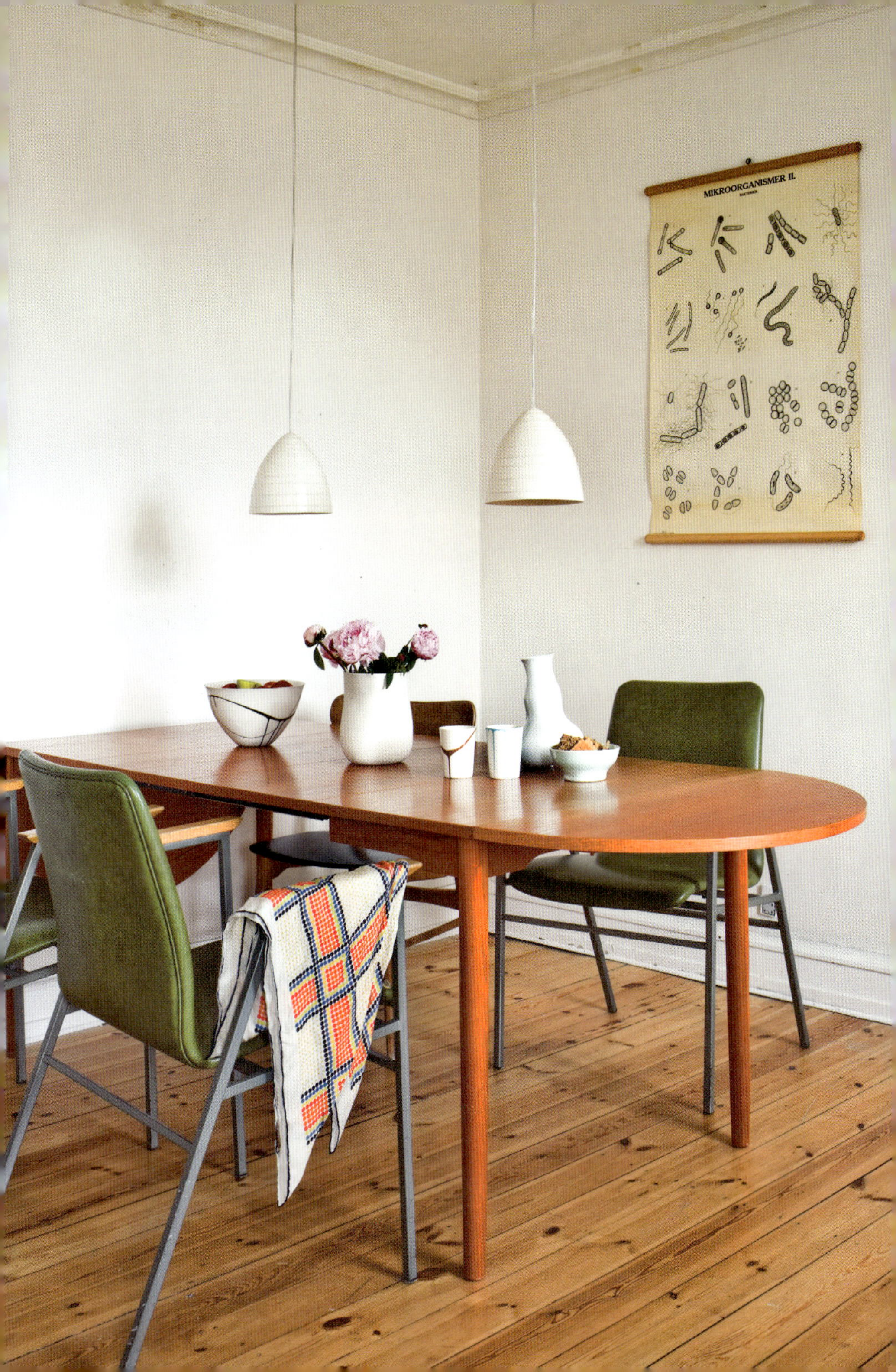
MIKROORGANISMER II.

ノアブロ地区に暮らすアリカさん。このアパルトマンは、1930年代に工場で働く人々のために作られた建物で、同じような造りのアパルトマンが近くにはたくさんあります。ダイニングとキッチンを仕切っていた壁を取りのぞいたり、古いペンキをはがして、新しくペイントしなおしたり、大がかりなリフォームをすべて自分で手がけたというアリカさん。明るくなり、居心地がよくなったキッチンは、アリカさんのお気に入りのスペース。ダイニングテーブルでランチをとるひとときはリラックスできる時間です。

左上：ナッツとビスケットを盛ったボウルは、アリカさんの作品。左下：ユトランド半島へ旅したときに見つけたヴィンテージのイスは、シートのモスグリーンが美しい。右上：もともと飛行機で使われていたという折りたたみ式ワゴン。右下：アリカさんが手がけた磁器素材のキャンドルスタンドと、友だちのマリアンヌ・ニールセンが手がけた黄色いプレート。

左上：窓から中庭が見える、キッチンのお気に入りの席に座って。左中：飾り棚に並ぶ花器とグラス。右上：キッチンには、中庭にぬけるドアがあります。左下：デザインスクール時代のクラスメイトが作ったクッションと、アトリエをシェアしていた仲間が手がけたプレート。右下：友だちが作ったティーポットと、のみの市で見つけたマルグレーテ女王夫妻の写真がプリントされたケーキ缶。

サラ・ナリン&ピーター・トフトス
Sara Narin & Peter Toftsø
architects　建築家

パパが作るおいしい料理を囲む、家族のキッチン

サラさんとピーターさんは、建築家カップル。
この家を家族の場所として、仕事の場所として
すべてのことが、一緒にできるようにと、
ふたりでリフォームを手がけました。
家の中心にしたのは、家族が集まるキッチン。
ピーターさんは、料理が大好きなので、
デンマークの黒パンから、イタリア料理まで
ここで、さまざまなメニューにトライします。
今日はなにをつくるの？と子どもたちもワクワク。

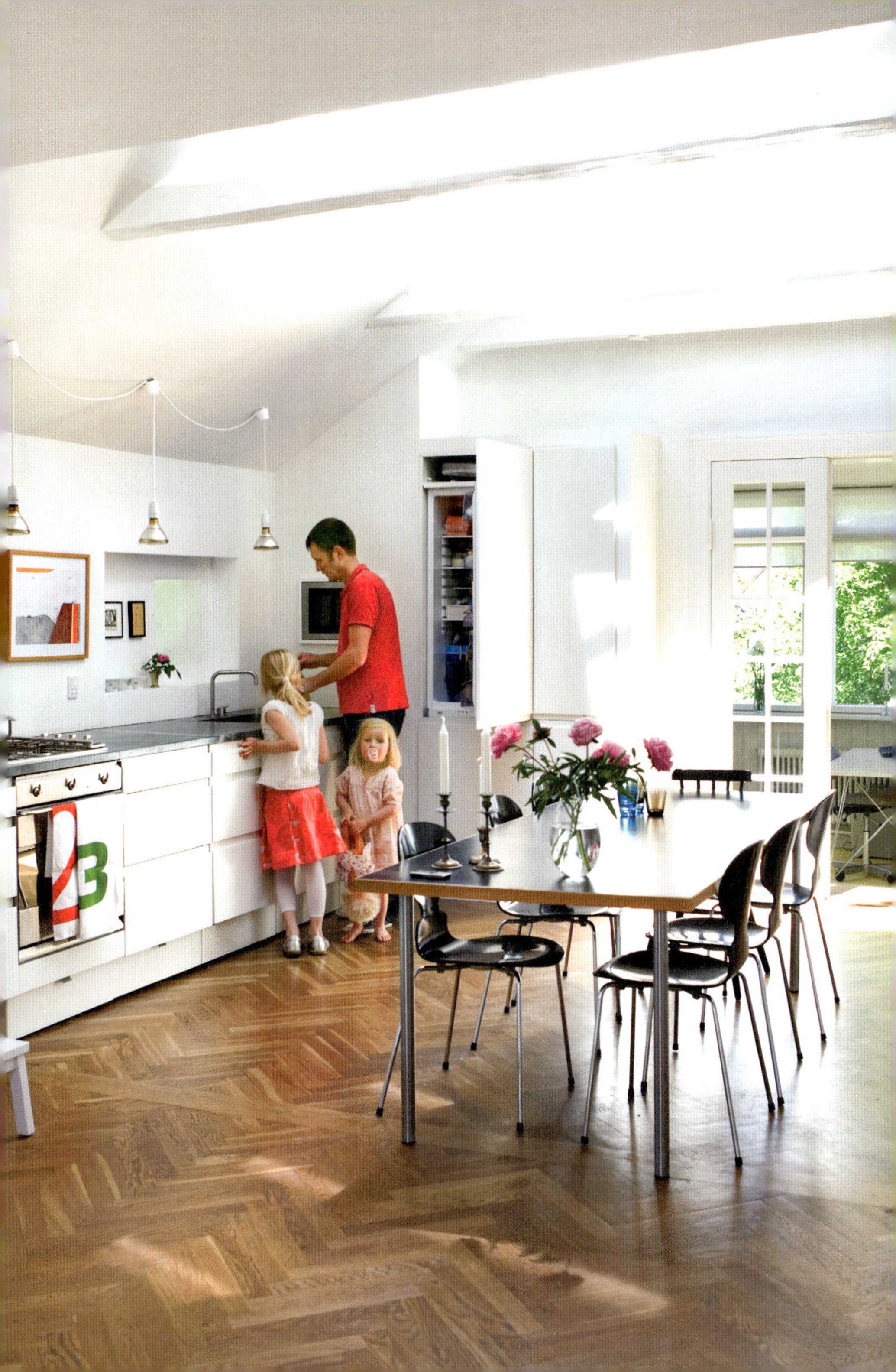
23

サラさんとピーターさん、そして7歳になるウィルマちゃんと3歳のローサちゃんが暮らすのは、フレデリクスベア地区の中でも、もともと1900年代はじめに別荘地として発展してきた地域。にぎやかな街のざわめきから離れた、おだやかな通り沿いには、庭付きの大きな一軒家が並んでいます。一家が暮らすのは、1886年に建てられた当時の典型的なれんが造りの家。2階建ての建物に自分たちでロフトを加え、ベッドルームと子どもたちのプレイルームを作り、のびのびと空間を使うことができるようになりました。

左上：キッチンの壁には、家族の思い出の写真を並べて。右上：コペンハーゲン動物園に行くのが家族みんなの楽しみ。右下：キッチンにあうように自分たちで作ったテーブルの上には、「ホルムガード」のカラフェと「イッタラ」のグラス。

左上：ロフトにあがる階段を、ローサちゃんが案内してくれました。右上：プレイルームには「イケア」のボックスを並べて、おもちゃ入れに。右中：通りに捨てられていたチェストをペイントしてリメイク。イスとクッションは「イケア」のもの。下：ベッドのまわりの黒いフレームが気に入っていて、長年愛用しているフトンベッド。この家に運ぶときに、脚を半分に切ってしまったのだそう。

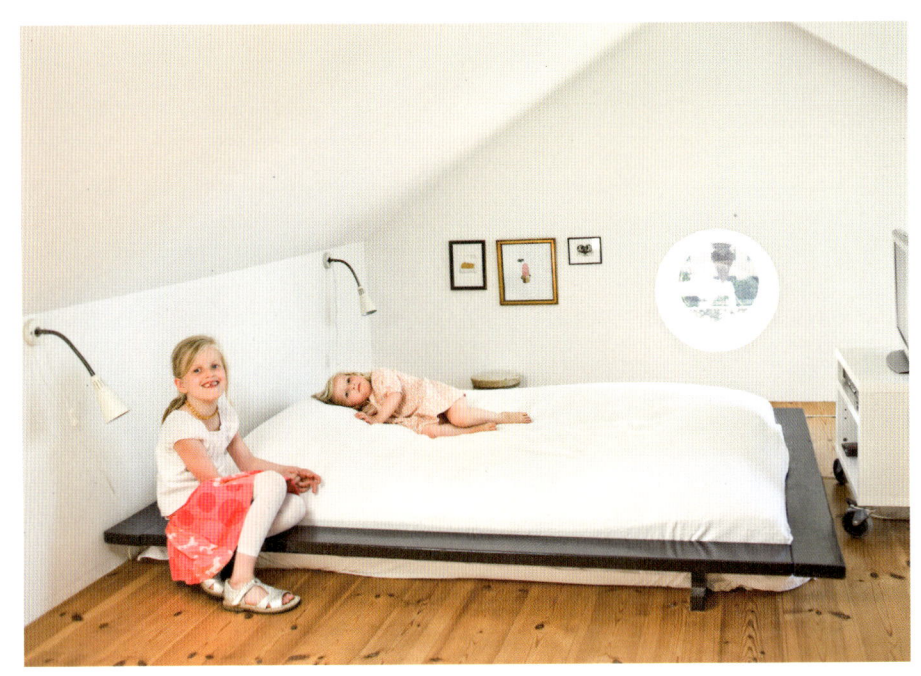

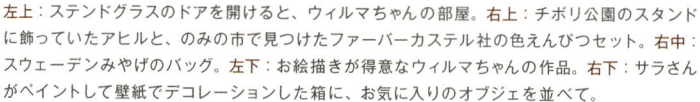

左上：ステンドグラスのドアを開けると、ウィルマちゃんの部屋。右上：チボリ公園のスタンドに飾っていたアヒルと、のみの市で見つけたファーバーカステル社の色えんぴつセット。右中：スウェーデンみやげのバッグ。左下：お絵描きが得意なウィルマちゃんの作品。右下：サラさんがペイントして壁紙でデコレーションした箱に、お気に入りのオブジェを並べて。

左上：ウィルマちゃんからお下がりの自転車のバスケット。ブランケットは、ピーターさんのお母さんの手編み。右上：インドみやげのネコの入れ子式人形。左中：ポーランドみやげのマトリョーシカと、おままごとセット。左下：幼稚園でも使われている「HUKIT」のイスは、黄色にペイント。右下：ローサちゃんのベッドは40年代のもので、いくつもの家庭で大事に使われてきました。

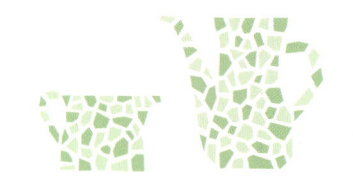

クリスティーナ&ペア・L・ヘルストロム
Christina & Per L. Halstrøm
interior designer & writer　インテリアデザイナー&作家

レトロ・ポップなキッチンで、みんなでお料理

エスニックなスパイスがたくさん並ぶキッチン。
ペアさんは、タイ料理にアレンジを加えた
オリジナル料理が得意。1歳のアルダスくんも
パパが作るヌードルが、お気に入りです。
お兄ちゃんのジョージくんが、お手伝いをするときは
いつも決まって、「リーゼングル」と呼ばれる
お米をミルクで煮こんだ、ライス・ポリッジ。
本当はデンマークのクリスマスのためのレシピですが
ヘルストロム家のテーブルによくのぼるメニューです。

右上：「イケア」の大きなバスケットをサイドテーブル代わりに。ペールさんは、はじめての小説を出版したばかり。カバーデザインは、クリスティーナさんが手がけました。左中：レトロなデザインの赤い壁掛け時計。左下：ヴィンテージショップで見つけた70年代のイス。右下：ベルリンのミュージアムで買ったポスターのグリーンと、ランプシェードの赤のコントラストが美しいキッチン。

ウスタブロは緑も多く静かな地区ですが、デンマーク・デザインスクールがあるこのあたりは若いアーティストが多いにぎやかな場所。一家が暮らすアパルトマンは、キッチンとリビング、そして子ども部屋という間取りです。1902年に建てられた建物ですが、インテリアにはこれまでに住んできた人たちが少しずつ手を加えた様子が感じられます。この時代をミックスした雰囲気が気に入ったというふたり。レトロなデザインの雑貨を取り入れて、自分たちが子どものころを過ごしたような、くつろげる空間を生み出しました。

上：インドで作られたシルバーの棚には、ジョージくんがセカンドハンドショップで見つけたトルコブルー色のプレートなど、食器をいろどりよく並べています。左下：「アラビア」のムーミンのカップなど、子どもたちも喜ぶかわいいプリントのマグカップ。右下：水差しは、セカンドハンド。アパルトマンの住人たちがいらないものを持ち寄っている、地下の倉庫からの掘り出し物。

左上:クリスティーナさんの作品、フェルトのバッグは中にポケットがたくさんついていて機能的。左中:玄関のドアを開けると、クリスティーナさんが手がけた人影型のドアマットがお出迎え。右上:「イルヴァ」の大きなソファーベッドがくつろぎの場所。左下:ジョージくんのベッドには、天井からチュールの天蓋を吊して。右下:クリスティーナさん手作りの人形は、長い手足がチャームポイント。

アンヌ・ノワック&マーティン・ダウゴー
Anne Nowak & Martin Daugaard

textile designer & cook　テキスタイルデザイナー&シェフ

リビングの窓辺は、ふたりの特別なシート

ボートが行き来する運河のゆるやかな水の流れに
石畳の小さな通りを、自転車で行く人たち。
そんな景色を眺めることができる、リビングの窓辺。
この窓枠に、自分のデザインしたクッションを
長イスのように置いてみた、アンヌさん。
いまではこの席がアンヌさんとマーティンさんの
いちばんのお気に入りの場所になりました。
コーヒーを片手に、メールをしたり読書したり
まるでハンモックの上のように、ゆったり過ごせます。

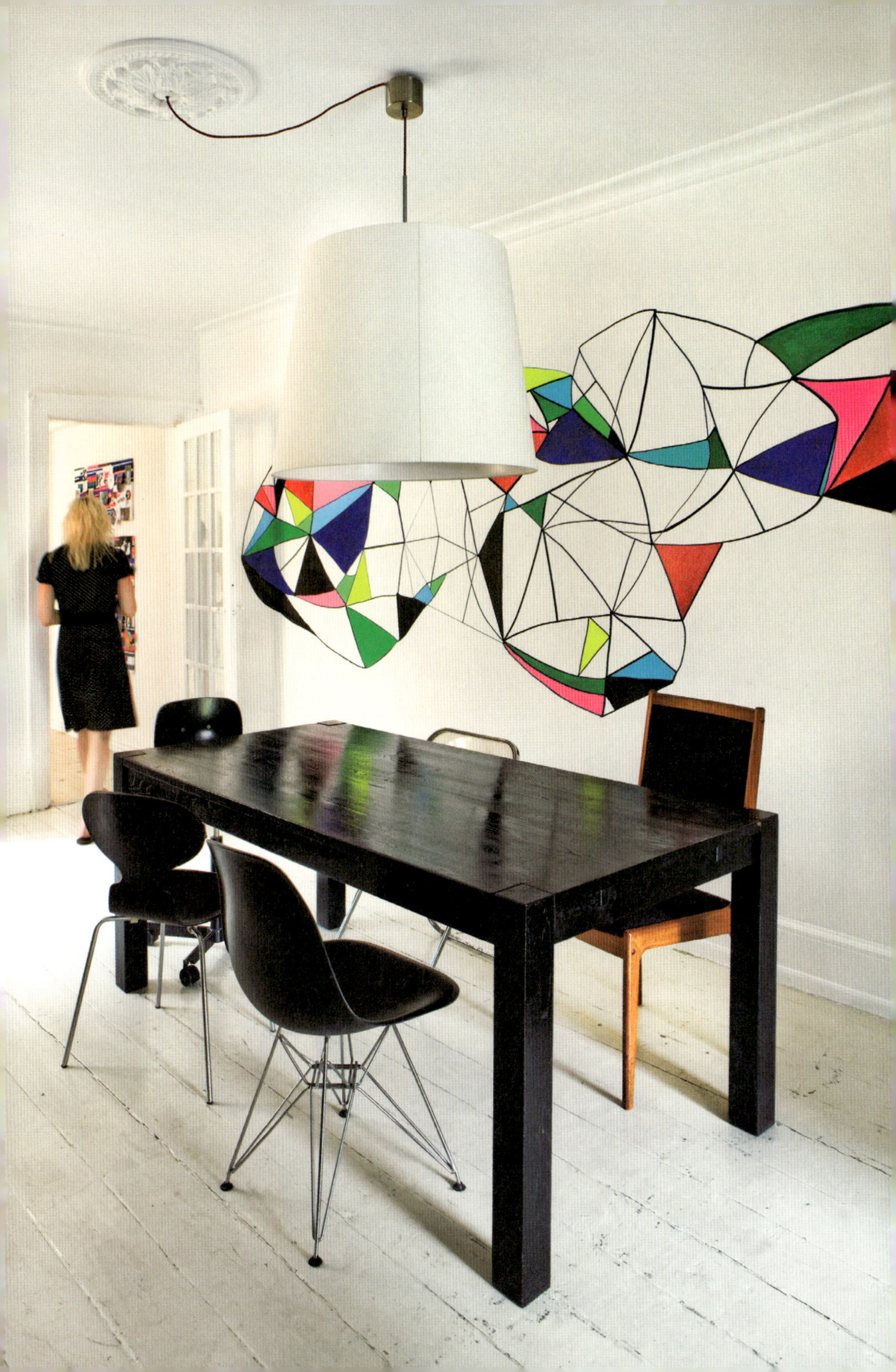

コペンハーゲンの中心部、シティから橋を渡ったところにある、クリスチャンハウンはその昔、クリスチャン4世がアムステルダムにならって町づくりを行った地区です。テキスタイルデザイナーのアンヌさんと、デンマークの日刊紙「ベーリンスケ・ニュースペーパー」の食堂でシェフをしているマーティンさんは、クリスチャンハウンの駅からも近い、運河沿いのアパルトマンに暮らしています。すっきりとした部屋の中、アンヌさんが手がけた壁のペイントやクッションなどのテキスタイルがほどよいアクセントになっています。

上：ダイニングの壁一面をおおうように「イケア」の棚をレイアウト。建築やデザインにまつわる本と一緒に、小さなオブジェが並んでいます。左下：アンヌさんの好きなペンギンの人形はふたりでインドのゴアを旅したときのおみやげ。右下：「イケア」の白い花器に、ディスカウントストア「ティアー」で見つけたキャニスター、アンヌさんがハンドペイントしたカップを並べて。

左上:ベッドルームの壁面にはファブリックパネルやレコードジャケットなどを、リズミカルに並べて。左下:ベッドサイドに置いた「カルテル」のチェストの上には、マーティンさんの趣味の写真にまつわる本。右上:インドみやげのベッドカバーの赤、そしてヴェルナー・パントンのランプの黒と、色使いが美しいベッドルーム。左下:ロングピローは、アンヌさんの新しい作品。

左上：セラミック用のペンを使ってハンドペイントしたマグカップ。右上：キッチンの窓辺で、お料理に使うハーブを育てて。左下：キッチンに自分たちで作り付けた棚。右中：アンヌさんのご両親のサマーハウスから持ち帰ったミニテーブルと、ヴェルナー・パントンのランプ「パンテラ」。右下：黄緑色がきれいなイームズの「シェル・チェア」の上には、ヴィンテージのクッションを置いて。

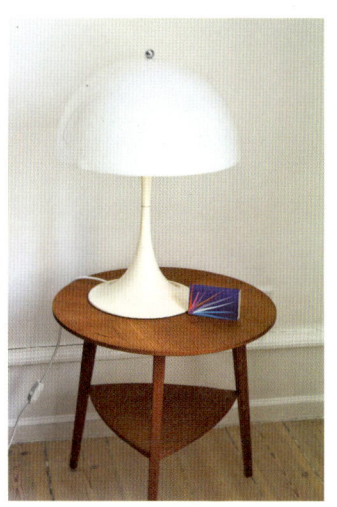

壁や天井、床など、すべてふたりでリフォームしたキッチン。ドアには、アンヌさんのお父さんのお店に飾っていたコーヒー豆の広告をディスプレイ。

マイ・ピーアスディッター
Maj Persdatter
textile designer　テキスタイルデザイナー

テキスタイルに広がる、自然のぬくもりと豊かさ

子どものころ、家のリビングに飾られていた
オリエンタルなデザインのタペストリー。
その模様がなにを表しているのかに興味を持った
マイさんは、テキスタイルの道へと進みました。
このアパルトマンに飾られたタペストリーや
クッションは、マイさんがデザインしたもの。
アジアやアフリカの素朴なデザインに
インスピレーションを受けた作品からは
太陽や土、自然の豊かさが感じられます。

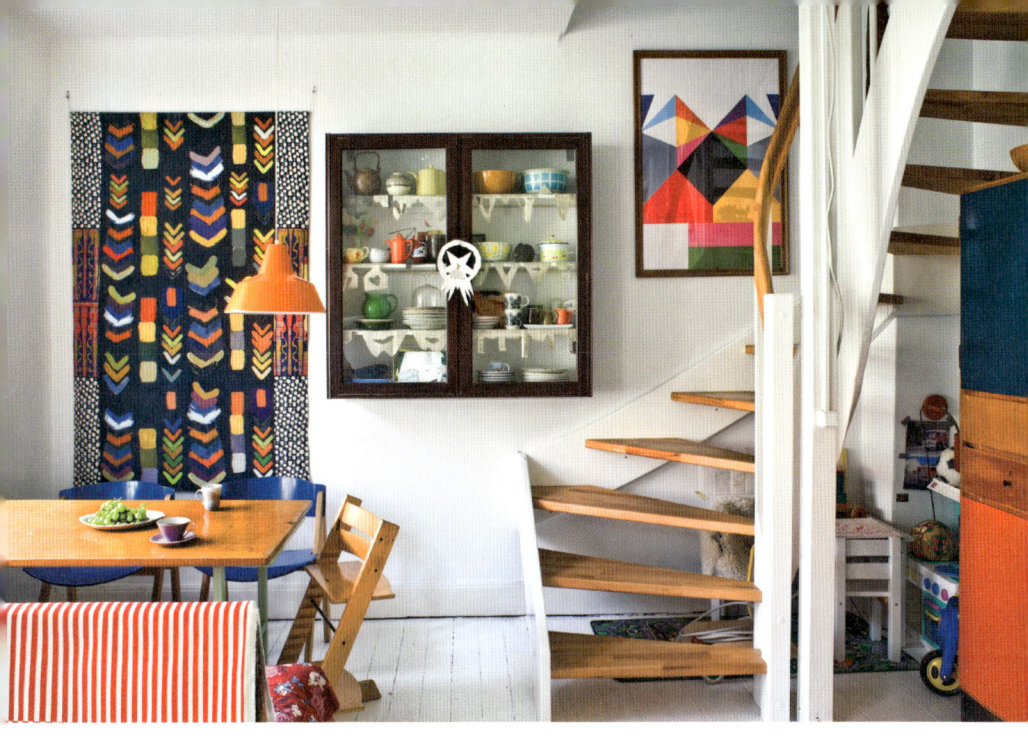

上：マイさんが手がけたタペストリーが飾られたダイニング・コーナー。食器棚の中は、新聞で手作りしたレースペーパーでデコレーションしています。左中：食器はセカンドハンドのものが多いそう。左下：おじいさんがプレゼントしてくれた、うさぎの置物は子どものころから大切にしているオブジェ。リスボンで見つけたホーローのポット。右下：キッチンのドアを黒板にして、お買い物メモに。

テキスタイルデザイナーのマイさんは、コペンハーゲン南部のヴェスターブロ地区にあるアパルトマンに、パートナーのモーテンさんと、2歳のイングマくんと暮らしています。玄関をあけるとキッチンとダイニング、階段をのぼるとベッドルームとリビングがある、メゾネットタイプの部屋。完璧にデザインされたものよりも、味わいのある素朴なものに囲まれているほうがリラックスできるというマイさん。ノスタルジックな思い出やストーリーを持つオブジェが集められたアパルトマンは、彼女のヒストリーを感じる空間です。

左上：どこかぬくもりを感じさせる色使いのチェストは、マイさんがペイントしました。
右上：ヴィンテージの洋服をコレクションしているマイさん。このジャケットも60年代のもの。右下：以前はよくデンマークで見かけられた壁掛け式のキッチンスケール。

左上:陶器のランプスタンドは、通りに捨てられていたもの。マイさんは黄色のシェードとあわせて、ベッドのそばに。左中:趣味として描かれたデンマークの風景画は、マイさんのコレクションの1枚。
右上:ベッドにはマイさんがプリントしたテキスタイルをカバーリングに。左下:おやすみ前に読む、イングマくんの絵本。右下:マイさんのテキスタイルで手作りしたミニピロー。

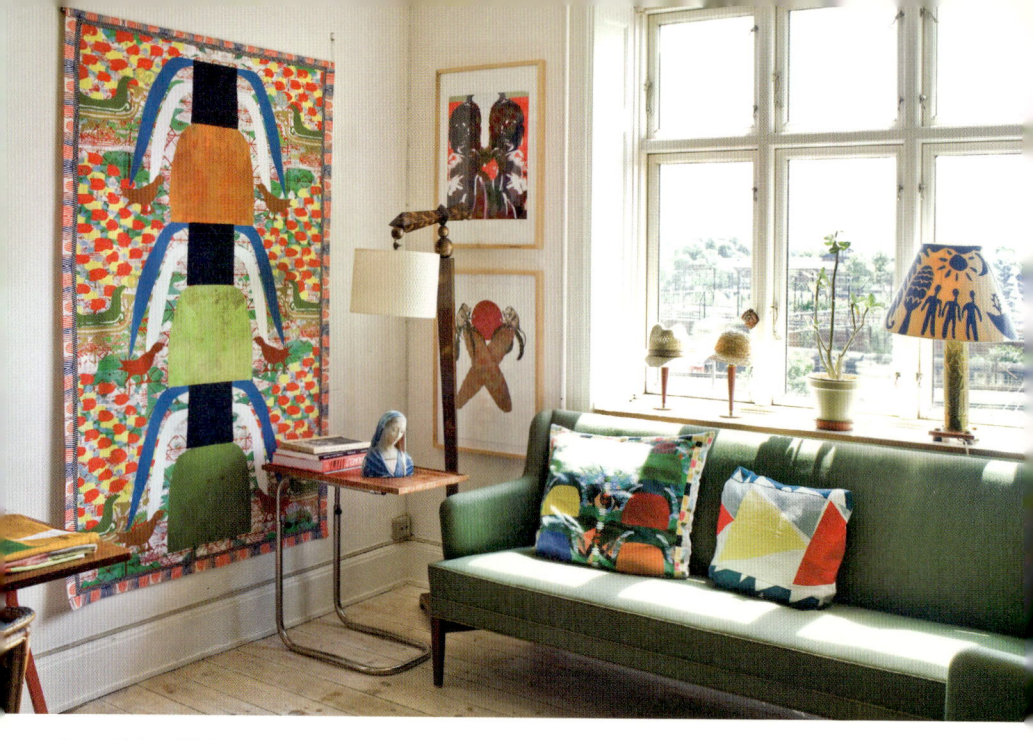

上:マイさんのデザインしたタペストリーやクッションカバーが色をそえるリビング。窓からは線路が見えるので、イングマくんはよくソファーによじのぼって、電車を眺めています。左中:1920年代のアールデコ調のランプ。左下:旅へ出ると集めている麦わら帽子。右下:60年代のひじ掛けイスに、マイさんがチボリ公園からインスピレーションを得てデザインしたクッションを置いて。

左上：スウェーデンのストックホルムで暮らしていたときに見つけたマリア像。右上：大きなフレームは、マイさんがプリントした作品。その隣には、アンティークショップで見つけた絵画とポスターを飾って。左下：マイさんのホーム・オフィス・コーナー。右中：マイさんの妹が子どものころに作った人形。右下：ひいおばあさんが、石こうで作った美しい女性の横顔のレリーフ。

ソフィー・ハンニバル&モーテン・コイエ
Sofie Hannibal & Morten Køie

graphic designer & musician　グラフィックデザイナー&ミュージシャン

積み木のような色合わせが、チャーミングなキッチン

アンティークショップが建ち並ぶ、小さな通りに
ソフィーさんとモーテンさんは暮らしています。
この部屋に3ヶ月前から、一緒に暮らしはじめたふたり。
まずはじめに、キッチンをリフォームしました。
古い調理台は取り外して、新しいものに。
全体のカラーリングを決めたのは、ソフィーさん。
ベースは、やわらかい水色とあざやかな強い赤。
個性の異なる色も、その組み合わせで
また新しい魅力をのぞかせてくれます。

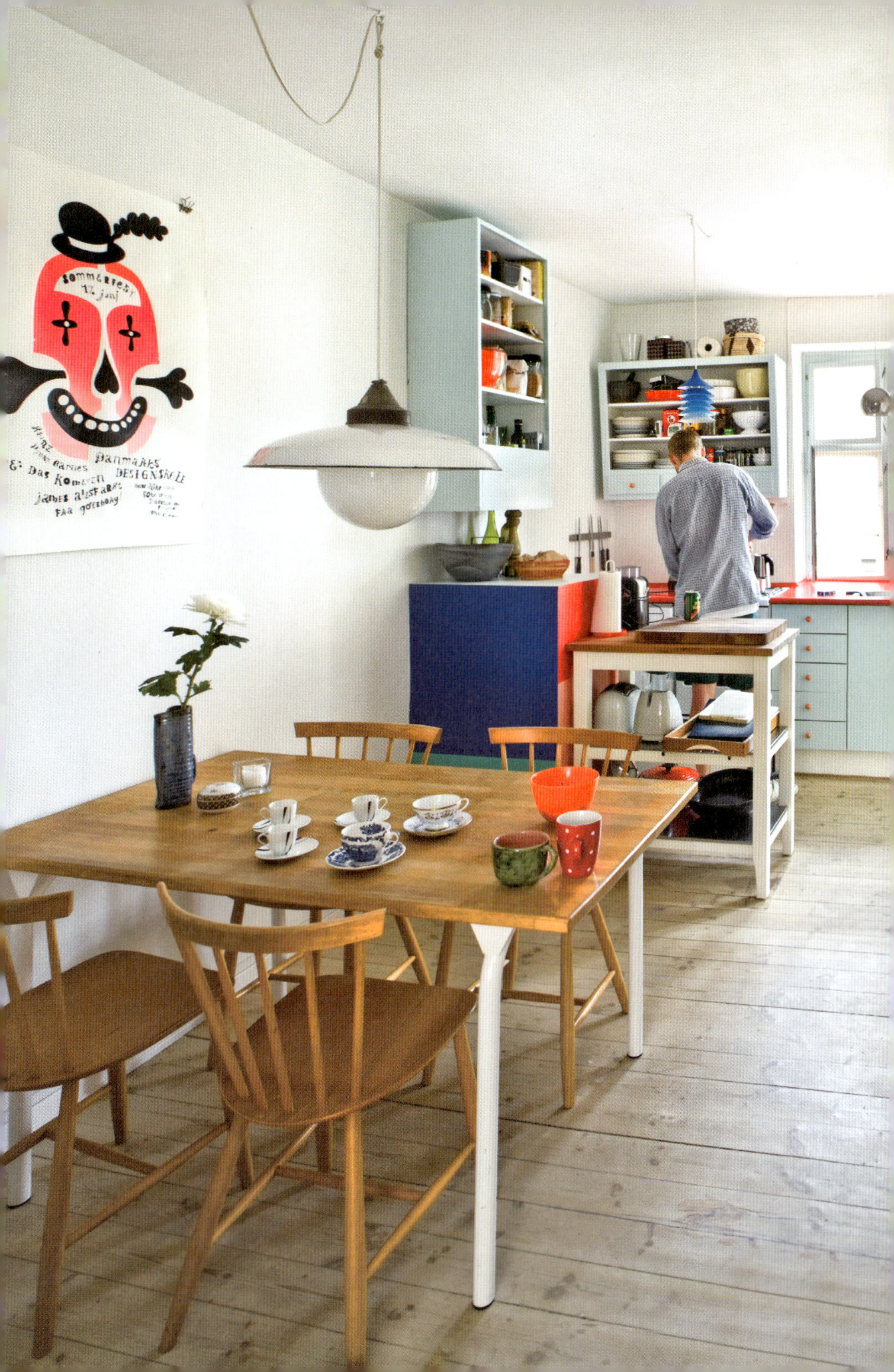
sommerfest
17. juni
Danmarks
DESIGNSKOLE

ソフィーさんは、ナンナ・フヴァスさんとともに「フヴァス＆ハンニバル」というスタジオを立ち上げたグラフィックデザイナー。そしてモーテンさんは、エレクトロ・ポップのバンド「チュアボーウィークエンド」のベーシストとして活動しています。ふたりが暮らしているのは、ノアブロ地区に19世紀末に建てられたアパルトマン。玄関から入ると、まずダイニング・キッチン、そしてリビングにベッドルームという間取り。この部屋でふたりで一緒に過ごすときは料理を作ったり、読書をしたり、ゆっくりと過ごします。

左下：ボックスを縦横に組み合わせて作った本棚。グリーンのひじ掛けイスは、ソフィーさんが以前働いていた印刷所から譲ってもらったもの。右上：友だちのナンナさんがデザインしたトートバッグ。右下：ビョルン・ウィンブラッドのプレートを鍋敷きに。

上：モーテンさんのお気に入りの場所は、リビングのこのソファー。ふたりで集めたヴィンテージの家具をミックスした、どこかなつかしさのあるインテリアです。中：家型のティーポットカバーは、おばあさんが手作りしてくれたもの。左下：アパルトマン近くのアンティーク屋さんで見つけたイス。中下：ソフィーさんがナンナさんとの展示会「マジック・アワー」のために制作した作品。

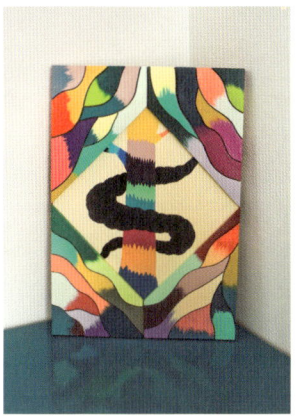

イザベル・ベールン＆クリスチャン・デヴァンティエ
Isabel Berglund & Kristian Devantier

knit artist & painter　ニットアーティスト＆画家

アーティスト・カップルの小さなギャラリー

アトリエをシェアしていた、仲間同士だった
イザベルさんとクリスチャンさん。
いまは、それぞれにアトリエを持っていますが
恋に落ちて、こうして一緒に暮らしています。
アパルトマンは、もともと印刷工場だった建物。
いまでも横長の窓や、開放的な部屋の造りに
インダストリアルな雰囲気が残ります。
部屋のあちこちに絵画やオブジェをディスプレイ。
お気に入りの作品たちに囲まれた、アート空間です。

上：広々としたキッチンに、セカンドハンドの木製のチェストやオーブンを、自分たちでレイアウト。ガラス窓の向こうは、バスルームになっています。左中：テーブルを楽しく飾るために集めている、プリントが楽しいカップ。左下：アンデルセンの童話「ぶた飼い王子」のイラストが描かれたクッキー缶。右下：イザベルさんのおじいさんのヴィンテージショップで見つけた絵画。

イザベルさんとクリスチャンさんの住まいは、オペラハウスのほど近く。木もれ日の美しい通りから小さな入り口を抜けると、あたたかみのあるイエローの建物にぐるりと囲まれた中庭にでます。この大きな建物は、もともと1800年代後半に建てられた印刷工場で、いまでは政治家からアーティストまでさまざまな人たちが暮らすアパルトマンになっています。もっとも広い空間は仕切ることなく、キッチンからリビングまで必要なものをすべて配置。この開放的なメインの部屋は、ふたりのお気に入りのスペースです。

左上：アンダース・ブリンクの絵画を飾った下には、よく使う道具をのせたキッチンワゴン。右上：セカンドハンドのまるみのある形の花器に、直線的な茎の長いカラーの花をいけて。右下：イザベルさんが手がけた立体オブジェ作品。

上：絵画を飾った壁は、まるでコンテンポラリーアートのギャラリーのよう。**左中**：イザベルさんがシリーズで手がけているモビール作品。**中中**：イザベルさん手編みのニット・クッション。**下**：クリスチャンさんが持っていた赤いソファーを中心にしたリビング・コーナー。壁には自分たちをはじめ友だちが手がけたものなど、さまざまな作家による個性的な作品が並んでいます。

左上：工場として使われていたときの名残の小さなブースを、ベッドルームに。右上：木や毛糸などを組み合わせたモビール作品は、ひとつひとつに名前を付けているのだそう。右中：クリスチャンさんの作品。左下：イザベルさんの作品がモチーフになった、デンマークのお寿司屋さんの紙袋。右下：中庭から見上げると、建物にロープを渡して洗濯物を干す、のどかな光景が広がります。

左上：子どものころから持っていた陶器の靴や、ベルリンで見つけた鳥かごなど、思い出のオブジェ。**右上**：大きなお城をニットで作る計画のために作った、ミニチュアサイズのサンプル。**左中**：友だちのヘンリック・ヴィブスコブの作ったボトルに、ドライフラワーを入れて。**左下**：作品の素材になるボタン。**右下**：ベッドルーム前に置いたコーヒーテーブル。サボテンはクリスチャンさんの作品。

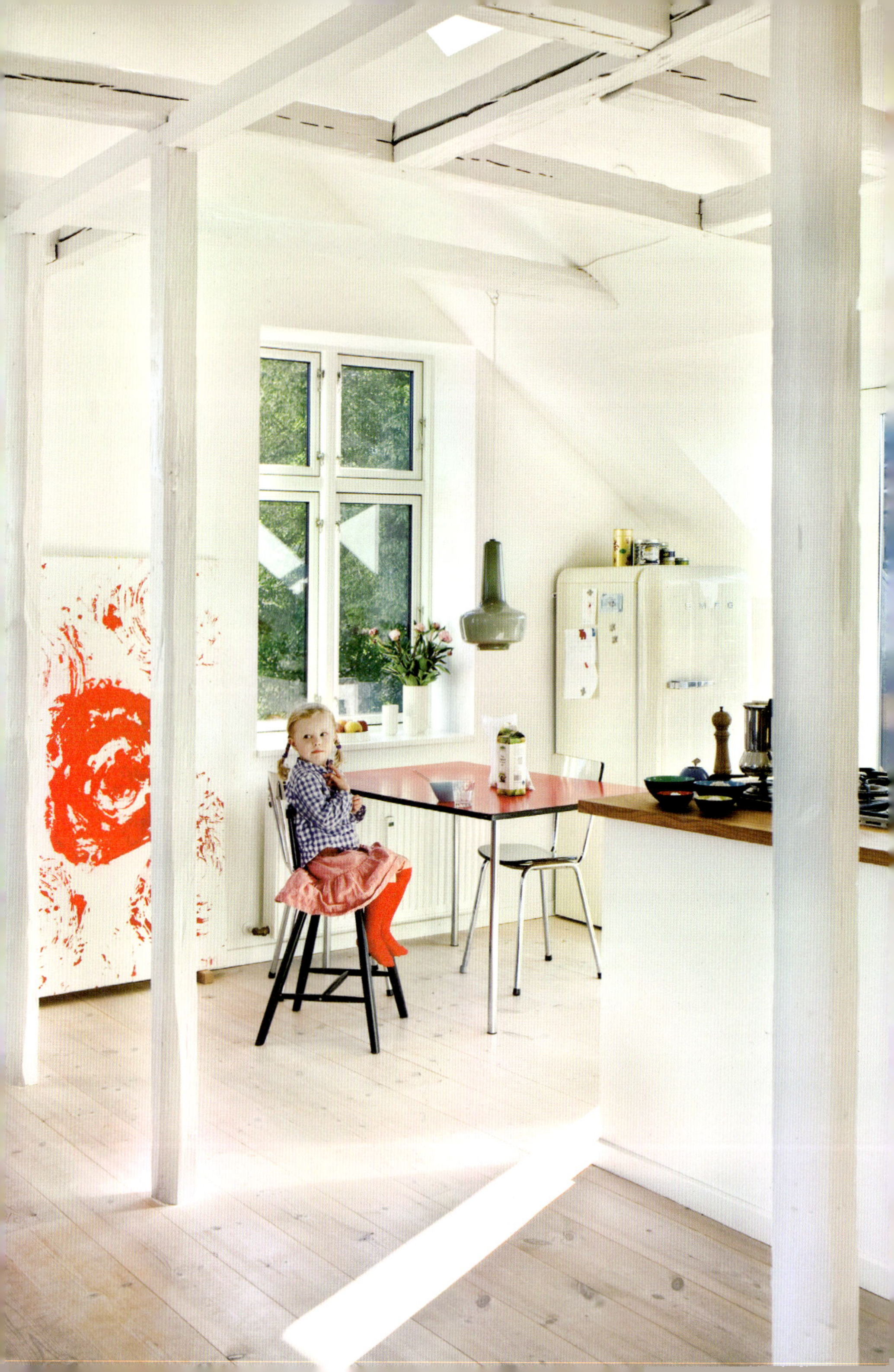
SMEG

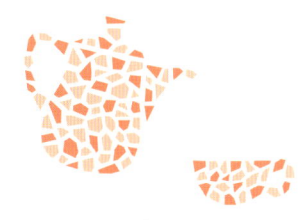

アンヌ・ブラック&イェスパ・モースホルム-ヤーンセン

Anne Black & Jesper Moseholm-Jørgensen

ceramic artist　セラミックアーティスト

さわやかな光に包まれる、楽しい家族の時間

ハンドペイントの赤いモチーフがキュートな
「アンヌ・ブラック」のセラミックが、緑に映える窓辺。
ここはセラミックアーティストのアンヌさんが
家族4人で暮らす、アパルトマンです。
みんなが、いつも一緒にいられるようにと
キッチンは広々としていて、開放感たっぷり。
このテーブルでお食事したり、おしゃべりしたり
子どもたちと遊んだり、お勉強をみたり……
シンプルな空間に、家族の笑顔が色を添えます。

アンヌさんは、パートナーのイェスパさんと、9歳になるマルトくん、3歳のアルヴァちゃんと一緒に、フレデリクスベア地区に暮らしています。引っ越してきたばかりで「これがはじめての夏になるの」と、この光あふれる空間で過ごす毎日を楽しんでいる様子のアンヌさん。もともと工場で働く人々の寮として使われていた建物で、天井にも壁にも窓がたくさん。白くペイントしたアパルトマンの中は、光り輝くかのよう。まるでサマーハウスにいるかのように過ごせる、さわやかな空間です。

左上：ヴェトナムから持ち帰ったハート型のセラミック・オーナメント。左下：イェスパさんがアンヌさんのために赤い花のブーケをイメージして描いた作品。アルヴァちゃんのイスは「イケア」のもの。右上：キッチンのカウンターの上には、アンヌさんが作ったランプシェードが吊るされて。右下：食器棚には、「アンヌ・ブラック」の花器をはじめ、アーティスト仲間が手がけたセラミックが並びます。

左上：イェスバさんが描いた作品の前に置いたマットレスに家族みんなで腰かけて。中：カルステン・ラウリッツェンがデザインしたテーブルに、「アントチェア」や「シェルチェア」をあわせたダイニングコーナー。左下：iPod用のスピーカーは、刺しゅうした生地でカバーリング。中下：オーレ・イェンセンが「ロイヤル・コペンハーゲン」から発表した水切り用ボウル。右下：「バイ・フリーベルト」のキッチンクロス。

斜めになった天井の窓からの光が気持ちいいリビング。フィン・ユールがデザインした
「ジャパン・ソファー」とマットレスを置いたくつろぎの場所。

上：アンヌさんとイェスベルさんのベッドルームは、サイドランプやブランケットの模様に使われている赤い色がキュートなアクセント。左下：アンヌさんの洋服やバッグ、靴が並ぶコーナー。シューズラックは、壁面に取り付けた板に赤いゴムをかけただけというオリジナルのもの。右下：アンヌさんの友だちと結婚したイギリス人デザイナーが作ってくれたランプ。

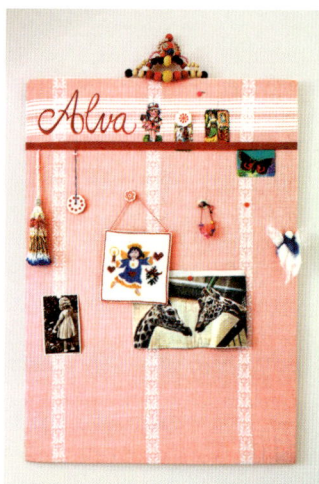

左上：アルヴァちゃんの部屋は、リビングのすぐ隣。以前はマルトくんと一緒の部屋だったので、はじめての自分だけの空間です。右上：アンヌさんが手作りしたピンナップボード。右中：木製のおままごとキッチンは、お気に入りのおもちゃ。左下：ひいおばあさんが使っていた茶色のバッグの横には、やわらかい素材のくまのぬいぐるみたち。右下：木製の動物はドイツのオストハイマー社のもの。

左上：クリスマス・マーケットで手に入れたブリキの兵隊人形。右上：コレクションしている鉱石やクリスタルなどマルトくんの宝物を並べた棚は、印刷屋さんが活字を入れるために使っていたもの。左下：マルトくんの部屋。右中：ベッドサイドランプの下には、マルトくんが生まれた日のことを、アンヌさんの親友が詩にして贈ってくれた額を飾って。右下：1年前から練習しているトランペット。

The editorial team

édition PAUMES

Photograph : Hisashi Tokuyoshi

Design : Kei Yamazaki, Megumi Mori

Texts : Coco Tashima

Coordination : Yong Andersson, Fumie Shimoji

French text interpreter : Emi Oohara

Editor : Coco Tashima

Art direction : Hisashi Tokuyoshi

Contact : info@paumes.com   www.paumes.com

Printers : Makoto Printing System

Distribution : Shufunotomosha

We would like to thank all the artists that contributed to this book.

édition PAUMES　ジュウ・ドゥ・ポウム

ジュウ・ドゥ・ポウムは、フランスをはじめ海外のアーティストたちの日本での活動をプロデュースするエージェントとしてスタートしました。
魅力的なアーティストたちのことを、より広く知ってもらいたいという思いから、クリエーションシリーズ、ガイドシリーズといった数多くの書籍を手がけています。近著には「パリのお菓子屋さん」や「ロンドンのアンティーク屋さん」などがあります。ジュウ・ドゥ・ポウムの詳しい情報は、www.paumes.comをご覧ください。

また、アーティストの作品に直接触れてもらうスペースとして生まれた「ギャラリー・ドゥー・ディマンシュ」は、インテリア雑貨や絵本、アクセサリーなど、アーティストの作品をセレクトしたギャラリーショップ。ギャラリースペースで行われる展示会も、さまざまなアーティストとの出会いの場として好評です。ショップの情報は、www.2dimanche.comをご覧ください。

STB Scandinavian Tourist Board

Thanks to Scandinavian Tourist Board
スカンジナビア政府観光局　www.visitscandinavia.or.jp

Copenhagen Apartments
北欧コペンハーゲンのアパルトマン

2009 年　10 月 31 日　初版第　1 刷発行

著者：ジュウ・ドゥ・ポゥム

発行人：德吉 久、下地 文恵
発行所：有限会社ジュウ・ドゥ・ポゥム
　　　　〒 150-0001 東京都渋谷区神宮前 3-5-6
　　　　編集部 TEL / 03-5413-5541
　　　　www.paumes.com

発売元：株式会社 主婦の友社
　　　　〒 101-8911 東京都千代田区神田駿河台 2-9
　　　　販売部 TEL / 03-5280-7551

印刷製本：マコト印刷株式会社

Photos © Hisashi Tokuyoshi
© édition PAUMES 2009 Printed in Japan
ISBN978-4-07-269794-8

Ⓡ＜日本複写権センター委託出版物＞
本書（誌）を無断で複写複製（コピー）することは、著作権法上の例外を除き、禁じられています。本書（誌）をコピーされる場合は、事前に日本複写権センター（JRRC）の許諾を受けてください。
日本複写権センター（JRRC）
http://www.jrrc.or.jp　メール：info@jrrc.or.jp　電話：03-3401-2382

＊乱丁本、落丁本はおとりかえします。お買い求めの書店か、主婦の
　友社 販売部 MD企画課 03-5280-7551 にご連絡下さい。
＊記事内容に関する場合はジュウ・ドゥ・ポゥム 03-5413-5541 まで。
＊主婦の友社発売の書籍・ムックのご注文はお近くの書店か、
　コールセンター 049-259-1236 まで。主婦の友社ホームページ
　http://www.shufunotomo.co.jp/ からもお申込できます。

ジュウ・ドゥ・ポゥムのクリエーションシリーズ

おとぎ話の町に暮らす、22人の子どもたち
children's rooms "Copenhagen"
北欧コペンハーゲンの子ども部屋

著者：ジュウ・ドゥ・ポゥム
ISBNコード：978-4-07-263930-6
判型：A5・本文128ページ・オールカラー
本体価格：1,800円（税別）

パパとママの愛情がたっぷり込められた空間
children's rooms "Stockholm"
ストックホルムの子ども部屋

著者：ジュウ・ドゥ・ポゥム
ISBNコード：978-4-07-250139-9
判型：A5・本文128ページ・オールカラー
本体価格：1,800円（税別）

おだやかでぬくもりのある北欧の暮らし
Stockholm's Apartments
北欧ストックホルムのアパルトマン

著者：ジュウ・ドゥ・ポゥム
ISBNコード：978-4-07-254002-2
判型：A5・本文128ページ・オールカラー
本体価格：1,800円（税別）

さわやかな北欧のカップルの家を訪ねて
Stockholm's Love Apartments
北欧ストックホルム 恋人たちのアパルトマン

著者：ジュウ・ドゥ・ポゥム
ISBNコード：978-4-07-259330-1
判型：A5・本文128ページ・オールカラー
本体価格：1,800円（税別）

やわらかい光の中、やさしい時間が流れる
Stockholm's Kitchens
ストックホルムのキッチン

著者：ジュウ・ドゥ・ポゥム
ISBNコード：978-4-07-249900-9
判型：A5・本文128ページ・オールカラー
本体価格：1,800円（税別）

緑いっぱい北欧のお庭へ、ようこそ！
Stockholm's Garden
北欧ストックホルムのガーデニング

著者：ジュウ・ドゥ・ポゥム
ISBNコード：978-4-07-256604-6
判型：A5・本文128ページ・オールカラー
本体価格：1,800円（税別）

www.paumes.com

ご注文はお近くの書店、または主婦の友社コールセンター（049-259-1236）まで。
主婦の友社ホームページ(http://www.shufunotomo.co.jp/)からもお申込できます。